강연 정말 조리 있게 잘하시더라구요, 내공이 느껴졌습니다. 덕분에 많이 배웠습니다.^^
- 김경수 (중국 N-Note 대표)

원래 여기 잘 안 오는데… 내가 오늘 진혁씨를 만나려고 하나님이 보내셨나 봅니다.
- 김기찬 (독일 브레머하펜 시립극장 전속 테너)

용기 있는 젊음이 부러웠습니다! 아마도 진혁 씨는 나중에 본인이 생각하는 모습으로 사회에서 큰 역할을 하
게 될 것입니다. 잘못된 것이 아니라고 판단되면 자신의 길을 묵묵히 가시기 바랍니다!
- 김용삼 (문화체육관광부 감사관)

멘토를 찾아 전국을 돌아다니며 유명 인사들을 만나는 황진혁 군… 그동안 만났던 인사들을 보면 눈을 의심
할 정도로 유명한 사람들을 만났던 친구인데, 어느 날 대구에 와서 저랑 만나주셨습니다. 할렐루야! ㅋㅋ 약
2시간 동안 수많은 이야기들을 나누고 맛난 밥을 먹었습니다. 그가 멘토들을 찾아다니는 이유를 듣고 또한
그가 처한 상황들을 들으며 많은 반성과 도전을 받았던 시간들이었습니다. - 안성국 (인칸토 솔리스트 리더)

멘토를 많이 찾아야 합니다. 시대는 멘토에 목말라 있어요. 선배와 교수님들을 찾아가서 많이 조언을 들어야
합니다. 내가 볼 때 진혁이 이놈 정도면 후배들에게 제법 괜찮은 멘토 같습니다.
- 이상의 (전 합동참모본부 의장)

당신의 현명한 소견과 넓은 시야에 감탄했습니다. - rede****@nate.com

인연 닿은 지 얼마 안 됐어도 자주자주 마주하진 못해도 생각하면 반가운 사람^^ 고맙습니다. - 김성필

모든 글을 다 필독했습니다. 정말 좋은 말들이 많고 가슴에 와 닿는 말이 많았어요. 제가 살아가는 데 있어
많은 도움이 된 것 같아 참 감사한 마음이 들어 메시지를 남깁니다. 저는 목표를 향해서 한 것이 아무것도 없
었어요. 너무 멋지세요. 존경합니다. - 김성훈

입학 전부터 오빠가 생활하는 거며 이것저것 조언해 주셨잖아요. 히히 입학부터 지금까지 오빠 덕택에 잘 다
니고 있었던 듯! - 김유나

좀 더 어릴 때 알았더라면 좋았을 텐데요. 아쉬워요. 스스로 만든 가능성의 한계를 깨트리는 게 제겐 가장
힘든 일이었죠. 참 좋은 멘토네요. 제가 대학교 다닐 때 이런 멘토 있었으면 덜 방황했을 듯 - 김어메이징

멋지고 유익한 강연 감사합니다. 고민하고 있었던 문제를, 명쾌한 '해답'으로 길을 알려주셔서 감사합니다. 제
나름대로의 해답을 얻게 해주셔서 감사합니다. ㅎ - 박현규

잠시지만 형이랑 있으면서 세상이 따뜻하다는 걸 느꼈습니다. 항상 응원합니다! - 배준영

너는 항상 나한테 긍지와 희망, 믿음을 주는 친구라고 생각해. 너 때문에 내 인생이 아주 좋게 왔다고 생각한다. 내 생각일 뿐이지만 너는 나한테 정신적 멘토 같은 존재야. 그러니 항상 건강해서 나 죽을 때까지 살아라 꼭! - 배환용

네 덕분에 마음 정리 다 되고 해답이 생겼다. 고맙다 힐링 친구여. 니 아니었음 안 될 뻔. ㅎㅎㅎ 하나님이 보내주신 천사임! - 성은비

진혁씬 진짜 머리로 정리 안 되고 말로도 표현하기 힘든 생각들을 말로 글로 멋지게 풀어내는 것 같아요. 최고! - 수누피

아하.. 무서운 말이다, 뭔가에 맞은 느낌이랄까. ㅋㅋ - ㅇㅇ아라

너의 글들에 가끔 용기를 얻는 나를 발견!! 진혁이 파이팅!! - 원이한걸

아침에 글로 힐링하는 느낌!! - 은찌곤듀

본받을 점이 많은 형 같은 아우. - 이동현

좋은 말... 내 주변인들이 좀 읽었으면 하는 말. - 이은빈

넌 '선생님'을 사랑할 줄 아는구나? - 이인영

당신은 "언어의 연금술사"임에 틀림없음당^^♥ - 이현숙

매일 매일이 불평불만 투성이었던 저였는데, 선배님의 긍정적인 글을 볼 때마다 항상 다시 한 번 더 부정적인 제 시선에 대해 반성합니다. 올 한 해에는 선배님처럼 긍정적인 마인드를 항상 품고 다니는 게 저의 목표입니다! 깨닫게 해주셔서 정말 감사합니당! - 진연조

참 좋은 사람들과 더불어 살아가는 당신의 멋진 인생! 파이팅!! 최문근

저는 항상 하고 싶은 건 많은데 생각대로 못하는 편이거든요. 그런데 진혁 선배님(?) 보면 엄청 열심히, 그리고 재미있게 사시는 것 같더라구요. 멀리서 지켜보고 있지만 정말 많이 많이 배우고 있어요. '저렇게 살면 좋겠다!' 라구요. - 황보지훈

청춘의 자화상

젊은 날의 꿈과 고난과 사랑과 세상을 그려보다

청춘의 자화상

초판 1쇄 발행 2014년 7월 28일

지은이 황진혁
펴낸이 김운태
펴낸곳 도서출판 미래지향

편집인 김운태
경영총괄 박정윤
디자인 스탠리
마케팅 김순태, 윤진
인쇄 백산하이테크

출판등록 2011년 11월 18일
출판사신고번호 제2013-000129호
주소 서울시 마포구 서교동 353-1 서교타워 711호
이메일 kimwt@miraejihyang.com | 홈페이지 www.miraejihyang.com
전화 02-780-4842 | 팩스 02-707-2475

·이 도서의 국립중앙도서관 출판예정도서목록(CIP)은 서지정보유통지원시스템 홈페이지(http://seoji.nl.go.kr)와
국가자료공동목록시스템(http://www.nl.go.kr/kolisnet)에서 이용하실 수 있습니다. (CIP제어번호 : CIP2014021102)

젊은 날의 꿈과 고난과 사랑과 세상을 그려보다

청춘의 자화상

황진혁 지음

청춘이 본 청춘의 모습

버스에 몸을 싣고 길을 떠났다. 한 계절을 맞이하는 세상의 모습들이 시야를 지나친다. 몇 년 동안 그런 방식으로 여러 도시들을 돌아다니면서 세상이 각각의 계절을 맞이하는 방식을 다양하게 사색할 수 있었다.

여행을 다닐 때마다 느끼는 달콤한 기분이 하나 있다. 버스나 기차를 타고 목적지에 도착해서 내릴 때에 하늘을 올려다보면 느낄 수 있는 그런 기분. 내릴 때마다 다른 곳, 다른 세상에 온 기분으로 내 여행은 그렇게 시작되곤 했다.

가슴은 심장이 콩닥콩닥 뛰는 것을 실감하며 설렘을 상기시켰고 하늘은 다른 날과 똑같은 하늘임에도 유난히 맑고 아름답게 느껴졌으며, 내 영혼은 그다지 낯설지 않은 것 같은 어느 미지의 세계를 자유로이 뛰어다니는 것만 같았다. 그것은 어떤 꿈이 내 가슴에 닿았을 때, 혹은 그 사람을 내 품에 안았을 때나 느낄 수 있는 그런 기분과도 다르지 않았다.

이번에는 홀로 서서 길을 걸었다. 어느 날은 사람들이 많은 도시를 걷고 있는 날도 있었고, 또 어느 날은 그와 반대로 인적이 드문 도시를 걷고 있는 날도 있었다. 그 길들이 어느 쪽이든 나를 이끄는 나름의 매력적인 그림을 가지고 있었던 것은 아마 그 길 끝에 내가 찾던 사람들이 서 있었기 때문일 것이다.

청춘이라는 경계를 어디서부터 어디까지로 보아야 할는지는 잘 모르겠지만 사전적으로는 10대 후반부터 20대까지 정도를 인생의 황금기, 또는 청춘의 나이로 보는 것 같다. 청춘의 나이로 인생에 대해 논하기에는 다소 싱거운 감이 없지 않으나, 인생(人生)이 '사람의 삶'을 뜻하는 것이라면 푸르른 청춘이든 어린아이에게든 인생은 있는 것이므로 내가 생각하는 사람의 삶에 대해 조심스럽게 말하자면 그것은 어느 위대한 화가의 자화상이라고 할 수 있으며, 한 개인이라는 위대한 화가가 자신의 삶을 그리는 것이 '인생'이라고 생각했다.

나의 청춘을 그려보고 싶었다. 나의 자화상을 그려보고 싶었다. 그러나 그 당시 나에게는 나의 모습을 볼 수 있는 거울이 없었다. 정확하게 말하자면 당시 나에게는 그만한 지성이 부족했던 것 같다. 그렇다 보니 마음의 손으로 마음의 얼굴을 감싸보면서 스스로의 골격을 유추해보고자 노력도 해보았지만 그것만으로는 답답함을 이길 수가 없었다. 그래서 고민 끝에 사람들을 만나보기로 했고, 나는 지성들을 찾아 전국의 이곳저곳을 떠돌아다녔다.

그분들을 만났다. 여행길 위에서 여러 사람들을 만나 뵈었다. 사회에서 존경과 인정을 받는 분들도 많이 만나 뵈었지만, 그 외에도 아침마다 빵을 구워 결식아동들을 돕는 카페 점장님, 파지를 수집하고 팔면서 평생 동안 모은 전 재산을 기부하신 할머니, 단란한 가정의 평범한 가장, 수양이 깊은 분이라고 느꼈던 종교인, 그리 유복하지는 않더라도 삶을 즐길 줄 아는 예술인 등의 여러 다양한 분들을 만나러 다녔고, 때로는 나와 같은 고민을 안고 있는 또래들도 거리낌 없이 만나서 서로의 생각을 교류하기도 했다.

많은 분들을 뵙고서 그분들의 이야기를 청했다. 지금 생각해보면 참 생뚱맞기 짝이 없는 행동들이긴 했지만, 그렇게 그분들은 나에게 그림을 그릴 수 있는 방법 즉, 내가 나를 들여다볼 수 있는 방법, 세상과 타인을 들여다볼 수 있는 방법에 대하여 이야기를 들려주셨다.

그런데 만약 내가 그런 여행을 했던 사람이라고 해서 이 책이 예컨대 '저자가 만난 명사들의 인터뷰집' 같은 것들로 엮여 있을 것으로 기대하는 독자가 계신다면 조용히 이 책을 덮어두셔도 좋다. 그런 책으로 보기에는 곤란하며, 또 그렇다고 여기에 담긴 글들이 나의 자화상을 그려 넣은 것으로 보기에도 역시 곤란한 일이다. 그거야 어차피 독자들조차도 이름 하나 알려지지 않은 저자의 자화상이 굳이 궁금할 턱은 없을 테니까 상관없을 것이다.

다른 청춘들에게 어떻게 살아야 한다고 말하고자 쓴 책도 아니며, 이 책에 담긴 것은 지극히 한 개인의 청춘이, 청춘의 시각으로 바라본 청춘의 자화상을 그려 넣은 것이며, '무릇 청춘이라면 이런 모습이어야지.' 하는 스스로의 생각, 나의 청춘이 올바른 모습으로 성장하기를 희망하면서 내가 스스로에게 던졌던 독백의 질문들이고 반성들이자 메시지들에 지나지 않는다.

이 모두가 여행을 시작하기 전의 나로서는 찾아보기 어려웠던 것들이었다. 무슨 큰 깨달음이라도 발견했던 것은 아니라고 하더라도 가려져 있던 눈으로 조급하게 행동하다 보면 분명 놓치는 것들이 있기 마련 아닌가. 그런 것들을 들여다보고 돌아보고자 한 것이니 부디 글을 읽는 독자들께선 이것을 참고해 오해가 없으시기를 바라며, 이 책을 통해 각자의 청춘을 함께 헤아려보았으면 좋겠다.

제목만 보면 왠지 그림을 잘 그릴 것 같은 사람이 글을 쓴 것 같은 데, 솔직하게 말하자면 나는 그림을 잘 그리지는 못한다. 만약 그림 실력이 좋았더라면 정말 한 번쯤은 스스로 생각하는 청춘의 모습을 실제로 표현해 보였을지도 모르겠다. 하지만 그림을 못 그리다 보니 그림 대신 글로써 그것을 나타내어보는 것은 어떨까 하는 생각이 들어서 쓴 글들이었다. 이 글들이 모이자, 언제부턴가 쓰인 글들을 책으로 엮어보고 싶어졌다. 그때부터 이 책의 출간을 꿈꿔왔고, 이 책은 그렇게 세상에 나왔다.

소망을 실현할 수 있게 되어 뿌듯하고 행복하다. 그리고 이 책의 출간을 허락해주신 출판사 관계자분들께 정말 감사드린다. 많은 작가들이 책을 펴낼 때마다 출판사 관계자들에게 감사를 전하는 모습이 책을 읽는 독자들 입장에서는 꽤나 의례적으로 보일지도 모르지만 (나 역시 오로지 독자였던 시절엔 그렇게 생각했다.) 작가의 입장에서 그분들은 자신이 심혈을 기울인 글이 빛을 볼 수 있도록 해주신 감사한 분들이라는 것을 이 책을 출간하면서 새삼 깨달았다. 다른 작가 분들도 그러할진대 하물며 나 같은 일개 청년의 글이 세상에 나온 것에 대한 감사함이야 오죽하겠는가. 그런 기쁨의 기운을 가득 담아 감사 인사를 드리고 싶다.

나에게 만남을 주신 분들께도 무한히 감사를 드린다. 많은 만남들이 있었으나 때때로 어떤 만남에서는 그분들의 스케줄 관계로 제대로 준비되지 못한 채 만나 뵙게 되는 상황도 있었고, 혹은 나름대로는 많이 준비했으나 내가 그분들께 턱없이 모자라 실례가 되었던 경우도 있었다. 호된 쓴소리를 해주신 분들도 계셨고, 따뜻한 격려를 해주신 분들도 계셨다. 하지만 그 모든 분들께서 바쁜 시간을 쪼개어 만남을 선물해주셨고, 그 모든 시간을 함께 진지하게 고민해주셨다.

지혜를 얻을 수 있도록 도움 주셨던 그분들께 이 책을 전해드리면서 감사와 존경을 표하고 싶다. 그분들 앞에서야 한없이 부끄러운 졸고이긴 하지만, 만약 그분들이 아니었다면 내가 원하는 청춘의 모습을 그려볼 만한 지혜를 얻지 못했을지도 모른다. 그분들께 조금이라도 보은하는 길이 될 수 있다면 더없이 좋을 것 같다.

2014년 5월
잘나가는 사람들만 올 수 있다는 그곳, 내 고향 삼천포에서
황진혁

차례

제1장

앞모습

꿈과 성공의 독백

20대에게 가장 최악의 시나리오는

돈이 없는 현실이 아니라, 비전이 없는 현실입니다.

돈이 많은 집에서 태어난 친구들도 하고 싶은 일을 찾지 못해서

자괴감에 빠지는 모습을 보면서 느꼈지요.

확실히 20대에는 돈이 없으면

발악이라도 해서 돈을 벌만 한 에너지가 있는데,

비전이 없으면 발악할 수 있는 에너지조차도

소멸될 만큼 무기력해짐을 느끼게 됩니다.

그리고 가난은 훗날 축복이 될 수 있습니다.
물론 여전히 축복이 되지 못할 수도 있지요.
하지만 비전이 없음은 언제든 축복이 될 수 없으니
재앙과도 같이 느껴집니다.

나는 최악의 시나리오가 오지 않기 위해
무엇을 추구하며 살아가고 있었을까요.

감당할 수 있는 선택

생각이라는 유리 상자 속에 갇혀서 지내는 것이 아니라, 생각이라는 유리 상자 밖에서 생각이라는 유리 상자를 열어다보고 싶었다. 혹여 상자 밖에서 비바람을 맞고 눈보라를 맞는 날이 있다고 할지라도 그냥 그렇게 해보고 싶었다.

대개 환상이 깨지는 이유는 '건드렸기 때문에' 깨지는 것이며, 건드린 환상이 깨지지 않고 그대로 있는 경우는 마치 성공 확률이 낮은 게임 아이템에 주문서를 질렀을 시 성공했을 확률(?)과도 흡사한 것이다. 그럼에도 불구하고 환상에 다가가는 것은 불나방이 자꾸 불빛에 다가가게 되는 것과도 같이 매력적인 일이므로, 여기에 그대로 돌진하는 이가 있을 것이다. 그리고 다른 한쪽에서는 망설이며 고민하는 이도 있을 것이다.

아마 우리가 고민을 하는 것의 대부분은 어떤 것과 다른 어떤 것이 큰 차이를 가지고 있기 때문이 아니라, '마음 가는 것이기에 하고 싶어지는 것'과, '마음 가지 않는 것인데 왠지 하지 않으면 안 될 것만 같은 느낌이 드는 것'이라는 그 한 끗 차이 때문일 것이다. 어떤 하나를 선택하면 다른 어떤 하나를 선택하지 않은 것에 대해 후회하게 될까 봐 겁이 나는 것이다.

여기에서 '내가 하고 싶은 것을 했을 때'에 생기는 고난을 버티는 것이 덜 힘든지, 아니면 '하지 않으면 안 될 것만 같은 느낌이 드는 일을 했을 때'에 생기는 고난을 버티는 것이 덜 힘든지는 건드려보기 전엔 누구도 알 수가 없다. 우리는 그래서 더 깊은 고민을 하고 있다.

그 때문인지 나는 간혹 혹은 자주 결정이 느린 때가 많다. 다만 선택에 있어 우유부단하지는 않았다. 그리고는 거의 대부분은 충동적인 것만을 선택하곤 했다. 그럴 거면 처음부터 마음 가는 것을 선택하면 될 텐데, 왜 쓸데없이 긴 고민을 했는지는 나도 잘 모르겠다. 그래도 그렇게 해서 나름대로 느끼는 장점이 있다면 아무런 고민 없이 충동적인 선택을 하게 되었을 때에 비해 후회를 낳는 경우가 더 적었던 것 같다는 생각?

무슨 특별한 방법이 있었던 것은 아니다. 다만 고민하는 그 시간 동안에 나는 그런 마음을 먹었던 모양이다. 마음 가는 것을 택했다가 혹시 나중에라도 들지 모를 그 후회들을 그냥 한번 감당해보기로 결심하기로.

어쩌면 우리는 '최선의 선택을 하기 위해' 고민하고 있는 것이 아니라, 그냥 '내가 하는 선택이 최선의 선택이라고 믿기 위해' 고민하고 있는 것일지도 모른다.

아마 우리에게 마음 가는 것을 감당할 수 있는 용기가 있다면, 분명 우리는 마음 가는 것을 택하게 되지 않을까. 그리고 마음 가는 그것에 '왠지 하지 않으면 안 될 것만 같은 느낌'이 자꾸만 자꾸만 들게 되지 않을까. 그것이 우리의 가슴을 터지도록 설레도록 만들 것이고, 그것은 우리의 어려움도 감당할 수 있게 만들 것이며,

그렇게 되었을 때 우리는 '꿈이 생겼다'라고 말하게 될 것이다.

당신의 꿈에는 어떤 이름을 붙였나요?

1

꿈과 사랑은 비슷한 구석이 있지요?

생각하기만 해도 좋고, 가지면 더 좋고.

2

이솝 아저씨, '개미와 베짱이'라는 동화 잘 읽었습니다. 그런데 예체능을 전공한 입장에서 한 말씀 드리자면, 베짱이가 누워서 하는 여유로운 연주도 사실은 개미가 흘린 땀 이상으로 많은 땀을 흘려야 가능한 경지인데 말입니다.

3

저를 '참 되거라, 바르거라.' 가르쳐 주셨던 제 선생님들께서는 "꿈이 있다면 부모님의 반대도 이길만한 고집이 필요하다."고 가르쳐 주셨습니다.

그러나 고집 피워 볼 만한 꿈이 없어서 '단기간에 돈 잘 벌린다는' 아르바이트를 하느냐 마느냐로 고집을 피워 사랑하는 부모님을 애태우기 바빴던 아, 철없는 내 지난 시절이여.

4

대개 부모님들께선 제 자녀가 당신께서 허락할 수 없는 진로를 가겠다고 하면, 자녀에게 모든 지원을 끊겠다며 협박(?)에 가까운 으름장을 놓으시는 경우가 많습니다.

그런데 만약에 그 자녀도 부모님의 지원이 끊기는 게 두렵다고 해서 그 진로를 쉽게 포기해버린다면 아마 저는 제가 부모이더라도 그 자녀의 꿈을 허락하고 싶은 마음이 들지 않을 것 같은데, 여러분의 생각은 어떠하신가요.

5

문제 하나.

'ㄱ'이라는 자음이 두 개가 들어가는 '꿈'과 '고고(GoGo)'가
공통적으로 지향하는 것은?

정답 : 앞으로 나아가는 것.

6

성공한 사람들이 하나같이 '꿈'이나 '목표'를 강조하는 이유는 그림
을 그릴 때도 뭘 그릴지 정하고 그린 그림이 그렇지 않은 그림보다 더
올바르게 표현된다는 사실과 다르지 않습니다.

7

좋아하는 여인에게는 표현하기 쑥스러워 괜스레 시비도 걸고 귀찮
게 굴었으면서, 세상이 나에게 시비를 거는 이유는 왜 파악하지 못했
던 걸까요. 오늘 세상에게 물어봐야겠습니다.

"니, 내한테 관심 있나?"

8

사실 "덤벼라, 세상아"를 외치고 살 때는 잘 몰랐습니다.

알고 보면 세상하고 원수진 일도 없었다는 것을요.

9

팬케이크를 생각하고 그림을 그렸는데

다 그리고 보니 부침개가 그려져 있더라고 실망하지 말자.

팬케이크만큼이나 먹음직스러운 음식이 그려졌으니까.

10

살면서 '어색'한 행동을 자주 하기도 했고,

또 그런 상황을 자주 겪기도 하며 살아왔습니다만

아직도 잘 모르겠습니다.

도대체 넌 어디에 칠해야 어울리는 색인 거니?

어색.

단어 한 끗 차이

자신감 상실 / 자신 감상실

자신감을 상실하는 날이 오면,

조용히 자신을 감상해보는 겁니다.

"집안 형편이 어려워서, 집에서 반대해서…"

그래요. 맞아요. 다는 모르지만 알고 있어요.

그렇지만, 그래도 우리 한 가지만 기억합시다.

우리 부모님 세대는 모두 그런 환경에서

자신의 꿈과 자신의 인생을 추구해 오셨다는 것 말예요.

세상에 꿈을 포기할 수밖에 없는 이유가 아무리 많다고 한들, 내가 꼭 이루어야 하는 이유 한 가지만 있다면 그 꿈은 필 수 있습니다.

14

출세보다 중요한 것은 큰 사람이 되어도 변치 않고
자기 자신을 지킬 수 있는 힘입니다.

강이 바다로 가지 못하고 실개천으로 흐른들 어떻습니까.
짠맛 없이 변치 않고 잉어와 메기를 품어내거늘.

15

PC방에 가서 내 게임캐릭터는 스킬 연마를 위해 수련장에 보내서
'필살 레벨 업'을 시키면서, 정작 나 자신은 내 인생의 수련장인 '대학'
에 와서 수련을 잘하고 있는가요.

만일 '그렇지 않다.'고 대답했다면 조심하세요. 나중에는 내가 게임
캐릭터에게 육성당하고 있을지도 모르니까요. 부끄러워서 그러는데
절대로 제 경험담이라고 말하지는 않겠습니다.

16

"놀려고 하면 대학보다 놀기 좋은 곳이 없고,

공부하려고 하면 역시 대학보다 공부하기 좋은 곳이 없다."

대학 시절 우리 학과엔 대학에 입학하는 신입생들의 첫 강의 때마다 꼭 이 말씀을 하시는 교수님께서 한 분 계셨습니다. 그런데 나는 바보 같게도 대학에 입학해서 졸업할 때까지도 이 사실을 실감하지 못하다가 사회로 나와서야 열렬히도 실감하고 있더군요.

17

엄청난 양의 타우린을 섭취하고 수업에 들어왔는데도 잠이 오는 이유는 아마 교수님께서 마법사이기 때문이겠지요? 교수님. 살려주세요. 오늘은 제 CPU에 한계가 온 것 같습니다.

18

호텔에서 프런트 업무를 맡았던 시절이 있었습니다.
한번은 프런트에서 야간 근무를 하던 중에,
낮에 체크인하셨던 손님께서
외출 후 밤늦게 돌아오시는 모습을 보았습니다.

저는 왠지 그날 따라 일어서는 것이 귀찮아서
손님께 인사를 건네지도 않고
계속 앉은 채로 사무를 보고 있었는데,

문득 손님께서 정적을 헤치고
"밤늦게 수고가 많습니다."라는 인사를 건넵니다.

아, 순간
부끄러움에 쥐구멍으로 숨고 싶은 기분이 들더군요.
고갱님 죄송합니다. (ㅠㅠ)

나무꾼 시리즈1

'열 번 찍어 안 넘어가는 나무가 없다'고 하는데, 그게 사실 무엇으로 찍었느냐가 문제거든요. 당신은 그 나무를 도끼로 찍었습니까, 막대기로 찍었습니까.

이왕 할 거 제대로 합시다.

나무꾼 시리즈2

사실 도끼로 잘 찍은들 열 번으로 안 넘어가는 나무 있을 수도 있어요. 하지만 연못에 도끼 던진다고 금도끼나 은도끼가 생기는 것도 아닌데 아무것도 안 하고 그냥 돌아갈 수는 없잖아요.

성과도 행운도 성실한 사람에게 찾아오는 겁니다.

21

나무꾼 시리즈3

나무꾼이 나무하다가 가장 맥 빠지는 때가 언제인 줄 알아요? 기껏 열심히 도끼질하고 있는데 옆에 전기톱으로 나무하는 사람을 발견했을 때.

일단 시작했으면 한눈팔지 말아요.

22

아무리 '하나를 알면 열을 안다'고 하지만
당신이 하나를 알아서 그 하나밖에 모른다 해도
꼭 그렇게 부끄러운 것만은 아닙니다.

그 하나만 알더라도 나쁜 것부터 알지 않고
좋은 것부터 알 수 있다면 괜찮은 거 아닐까요.

부끄러워하지 않으셔도 좋다고 생각합니다.

23

우리가 하고 싶은 일을 쉽게 찾지 못하는 이유는 대개
인간에게 '인정받고 싶은 욕구'가 있기 때문은 아닐까요.
사람들은 타인들에게 인정받고 싶어 하는 경향이 있으니까요.

그런데 인정을 받으려면 전문가가 되어야 합니다.
전문가가 되려면 일을 오래 해야 합니다.

그러나 우리는 아직 어려서
일을 오래 해볼 만큼의 시간을 가져본 적이 없습니다.
일을 오래 해보지 못했으니 전문가가 되기에도 모자랍니다.
전문가가 되어본 적도 없으니 인정받아본 경험도 적습니다.

대체로 성공한 사람들은 어느 분야에서 인정받는 전문가들이고,
전문가가 되기까지 일을 오래도록 해온 분들입니다.
비록 그 일이 처음 시작했을 땐 그다지 내키지 않았던 일일지라도
그 일이 어떤 일이었든 꾸준하게 해온 사람들이 인정을 받습니다.

감히 타인에게 인정받으려는 마음을 버리라는
수행까지는 말씀드리지 못합니다.
하지만 지치기 쉽습니다. 그러니 꾸준해야 합니다.

24

고등학교 땐 밥 한 그릇 더 달라고 하면 급식을 배급하시던 친구 어머님으로부터 양껏 더 받아갈 수 있었는데, 대학교에 오니까 밥 한 그릇 더 달라고 하려면 당연하게도 돈을 더 내어야 하더군요.

새삼 부모님 세대들께서 우리가 눈칫밥 먹지 않도록 얼마나 애쓰셨는지를 깨닫고는 절로 숙연해졌습니다. 열심히 살아야겠습니다.

25

어릴 적,
어른들께서 김치를 젓가락만으로 찢으시는 것을 보고는
그게 어찌나 따라 하고 싶었는지 모릅니다.

그래서 저도 밥 먹을 때마다 이리저리 시도하다 보니
어느새 그것을 따라 할 수 있게 되었습니다.

그때 학습했지요.
'연습은 결코 거짓말을 모른다.'는 것 말이에요.

26

"나는 내 노력에 배신당했어."

진짜로 내 노력에 배신당한 걸까요.
아니면 내 기대에 배신당한 걸까요.

27

성악의 성부 중에 '테너(Tenor)'라는 성부가 있습니다. 흔히 고음역을 다루는 남자성악가를 일컬어 테너라고 하는데, 남자성악가의 고음은 여자성악가의 고음과는 또 다른 매력이 있어 성악을 공부하는 남자들이라면 꼭 한 번쯤은 도전해보게 되는 그런 성부입니다.

대체로 고음이 잘 나는 테너 가수들의 소리는 날카롭고 가벼운 음색을 지닌 경우가 많은데, 실제 그런 성악가의 연주회를 감상하러 가보면, 의외로 그 가벼운 소리가 공연장 끝까지 잘만 들린다는 사실을 실감할 수 있게 됩니다.

역시 사람들 말처럼 그런가 봅니다. 완성이라는 거 말예요. '더 보탤 게 없는 상태'가 아닌, '더 뺄 게 없는 상태'를 말한다는 거.

"국내 최초로 94년도 12월 31일 밤 10시에
예술의 전당에서 재야음악회를 연주했습니다.
지금도 그게 계속되고 있는데, 처음 연주하던 그날
제가 앙코르 하면서 한 말이 있어요.

'여러분, 전통이라는 것은
옛날부터 내려오는 걸 전통이라고 합니다. 그러나
모든 전통은 오늘부터도 시작할 수 있습니다.'

그런 말을 했어요. 어때요,
말이 그래도 멋진 말 아냐? 그렇지? (웃음)"

– 지휘자 금난새 선생님과의 대화 중에서

28

"힘들다. 그냥 포기해 버릴까?"
라고 자기 자신에게 질문했을 때,

"아니."
라고 대답할 수 있다면 그것은 열정입니다.

29

여름 감기는 개도 안 걸린다는데,
개한테 여름 감기를 옮으면
도대체 어떻게 설명을 해야 하나요?

이거 '개난감'합니다.

30

'오랫동안 꿈을 그리던 사람은 반드시 그 꿈을 닮아간다.'

— 안드레 말로

고등학교 3학년 즈음이면 누구나 한 번쯤 가슴속에 새겨봤을 법한 이 문장. 그대에게 그때 이후로 시간이 얼마나 흘렀는지는 잘 모르겠습니다. 그런데, 꼭 그렇진 않아도 괜찮겠습니다만 혹시 그대의 가슴엔 지금도 여전히 이 문장이 새겨져 있나요?

그냥 궁금해졌습니다.

31

나는 악몽을 꾸는 그날은 항상 로또를 긁습니다.
어차피 당첨 안 되면 그걸로 액땜 될 거니까요.

32

'L(if)e'

어디서 많이 들어본 말을 빌려 그대를 응원합니다. 힘내요.
우리의 삶(Life)에는 세상을 떠나는 그 순간까지 가능성(If)이
함께할 테니까요.

33

뭔가 결단을 내릴 때, 종종 "내가 해왔던 것들을 잃게 되면 어떡하
지?" 하는 생각에 덜컥 겁부터 집어먹는 때가 있습니다. 나는 이 나이
에 이뤄 논게 있으면 뭐 얼마나 있다고 잃을 것을 겁냈던 걸까요. 젊
은 친구가 어르신들 앞에서 "나도 늙었구나." 하는 꼴이나 마찬가지라
하겠습니다.

34

'뱀의 머리가 되느냐, 용의 꼬리가 되느냐'로 고민하게 될 때, 나는 주저하지 않고 뱀의 머리가 되는 것을 택하렵니다. 머리가 이끄는 곳으로 따라다녀야만 하는 용의 꼬리보다는, 비록 뱀의 머리라 할지라도 내가 방향을 주도해 나가면서 '언젠가는 용으로 진화하여 용의 머리가 되겠다.'는 꿈을 가지며 그렇게 살아가렵니다.

35

"뱀은 현실적으로 뱀일 뿐이지 용이 될 수 없잖아요."

그래요. 현실적으로 뱀은 뱀에 불과할 뿐이겠지요.
그런데 용의 경우엔 현실적으로 존재하지도 않는 동물인 걸요.

36

언젠가는 세상을 발아래에 두고 살겠다는 당신에게 묻고 싶습니다. 그럼 지금 당신의 세상은 하늘 위에 있는가요. 새삼스럽습니다.

37

'미래에 뭘 하겠다'도 매우 중요합니다만, 그보다 '현재에 충실하고 있는가'는 더 중요하겠지요? 언제나 '지금'을 사는 사람만이 꿈꾸던 미래를 그릴 수 있으니까요.

38

나에게 음악을 가르쳐 주셨던 한 선생님께서는 '표현은 했을 때 의미가 있다.'고 가르침 주셨습니다. 아티스트가 자신의 생각을 남한테 전달하지 못하면 그건 2류부터 시작해서 사이비로까지 전락하고 만다고 하시면서요.

39

한번은 주머니에 돈이 없어 막노동 공사현장에 뛰어든 적이 있었습니다. 일을 마치고 인부분들과 모여서 막걸리를 한 잔씩 했는데, 그날 "내가 이 건물 짓고 나면 또 다음엔 저기에 무슨 건물 지을 거다!"라며 일장연설을 늘어놓는 한 노인을 보았습니다.

남들은 그것을 어떻게 들으셨을지 잘 모르겠습니다만, 저는 왜였을까요. '저분이야말로 진짜 아티스트다!'라는 생각이 들었습니다.

40

'아티스트'가 따로 있는 건 아닌 것 같습니다. 자신의 삶을 예술의 경지까지 끌어올릴 수 있는 사람들이야말로 진정한 '아티스트' 아닐까요?

41

누구에게나 나만의 이야기가 있습니다.
한 드라마 안에서도 여러 사람들의 이야기가 있지만,
역시 주인공의 이야기가 가장 멋있는 법입니다.

그러니까 당신이 보았을 때,
세상의 주인공인 당신의 이야기도 그러해야 합니다.

42

원래 주인공의 이야기는
언제나 평탄하지 않은 법이라고 한다면,
지금 당신의 삶이 지치고 힘든 것도
당신이 세상이라는 무대 위의 주인공이라는
증거로 봐도 되겠지요?

43

기를 쓰고 긍정하세요.

당신의 정신에게서 긍정을 박탈당하지 않도록.

긍정을 박탈당한 그 자리에

어느새 우울함이 가득 고이지 않도록.

44

학교에 수업을 들으러 가기 전, 근무지에 출근하기 전,

집으로 들어가기 전. 나 자신에게 꼭 한번 주문을 걸어보세요.

"다른 시각, 다른 곳에서 슬프고 짜증 났던 만큼

지금 이 시각, 지금 이곳에서만이라도 기쁘고 행복하게!"

"학창시절에 시험점수에만 쫓겨 살다 보니

하고 싶은 일을 찾을 수가 없었던 것 같습니다.

진혁씨는 하고 싶은 일들을 어떻게 찾으셨나요?"

"글쎄요. 꿈을 가졌다거나 그런 것까진 아닐지도 모르겠지만,

분명 저는 늘 하고 싶은 게 있었고, 또 현재도 그런 것 같습니다.

그런데 사실 저는 공부 안 해도 성적이 유지가 되었기 때문에

시험에 쫓겨 다녔던 편은 아니었거든요.

잘은 모르겠지만, 아마 그래서 하고 싶은 일들에 대해서

생각해볼 수 있는 시간이 많았던 것은 아닐까요?"

"그렇군요. 그런데 진혁씨 학창시절 성적이 어떻게 되셨는지요?"

"꼴찌요."

당신의 꿈에는 어떤 이름을 붙였나요? | 41

46

고등학생 때 첫 아르바이트로 시작했던

신문 배달 고작 두 달째에 "죽겠다"는 말이 나왔습니다.

그런데 아르바이트를 마치고 집으로 돌아오니,

어머니께서 부산한 움직임으로 출근을 준비하고 계시더군요.

아,

우리 어머니는 20년이 되도록 똑같은 일을 하고 계셨었지….

47

"첫술에 배부르랴"

안 불러요. 그러니까 첫술에 배부르려고 하지도 마세요.

어차피 그렇게 배부르면 소화도 안 돼요.

48

지난여름, 여행길에 몸이 실감하는 날씨는 매우 더웠습니다.
발은 이미 물집투성이로 익어버린 지 오래였습니다. 그러나
살이 태양에 삶아져 익는다 해도 상관없을 것만 같았습니다.

하늘도 이렇게 뜨거운데,
우리의 열정도 이 정도는 되어야지 않겠나 싶어서요.

49

아무리 그래도
제가 아리랑 가사처럼 누구 버리고 가신님도 아닌데,
먼 길 다닌다고 이렇게 발병 나서 고생할 때면
참 억울하기 짝이 없어집니다.

50

책을 '많이' 읽었다는 것과,
책을 '깊게' 읽었다는 것이 서로 다르고,
'남에게 배운다'는 것과,
'내 몸에 익혔다'는 것 또한 서로 다르더군요.

우리가 그토록 직시하라는 '현실'은 늘 우리에게 많은 것을 요구하는 편지를 보내옵니다. 그리고 우리는 현실이 요구하는 것에 대하여 부지런히 또는 부단히도 답장을 써 보냅니다.

답장의 내용이 '굴종'이든 또는 '거부'이든 아니면 '수용'이든, 혹은 '협조'이든 간에 사람마다 저마다 나름의 메시지를 담아 오늘도 그렇게 답신을 보냅니다.

하지만 많은 이들이 우리 각자의 영혼이 요구하는 것에는 아무런 답장을 쓰지 않고 있습니다. 영혼이 그대에게 날려 보낸 편지는 영원히 그대 곁에서 쌓여 있다가 결국 널브러진 채 영면에 들어가고 있습니다.

그대는 오늘 그대가 가진 영혼이 요구하는 것에는 무슨 답장을 쓰셨는가요. 그대를 가장 그대답게 만드는 그대의 영혼에 대고 모든 것을 내려둔 채 조용히 편지한 통 써서 날려 보낸 적, 그런 날 한 번쯤은 없었던가요.

52

어머님, 나방이 되고 싶은 자녀가
평생 누에고치로 살면서 명주실만 뽑아드리길 원하시나요.

53

'성공은 돈과 싸워서 얻는 것이 아니다.
성공은 타인과 싸워서 얻는 것도 아니다.
오로지 자기 자신과 싸워서 이기는 사람만이
성공을 얻을 수 있다.'

명사들을 찾아다니면서 이거 한 가지는
확실하게 배웠습니다.

54

만약 신께서 세상 모든 꽃들에게 너희들의 꽃말을 하나로 통일하
라고 명하신다면 무슨 말을 꽃말로 정할까요. 제 생각에는 아마…

"나를 꺾지 마세요."

55

"자식에게 성적을 포기하니
자연스럽게 사랑스러움이 느껴지더군요."

자식을 키우시는 어느 아버님께서 그러시더군요.

56

본의는 아니셨겠지만,
나에게 돈이라는 재갈을 물리지 못했으니
우리를 억압할 명분이 없었다는 나의 부모님께서는
제게 가장 현명한 교육자셨습니다.

아,
그런데 왜 눈물이 나는 걸까요.

알고 보면 한 개인이 어떤 큰일을 시작할 때엔,
뒤돌아보지 않을 자신이 있어서라거나
혹은 후회하지 않을 자신이 있어서 시작하는 사람은
그렇게 많지 않습니다.

그들도 똑같이 두렵고 겁이 나서 후회할 것 같았더랍니다.
다만 그럼에도 불구하고 그냥 눈 질끈 감고 용기 내서
한 발 한 발 걸어가 보고 있는 것일 뿐인 겁니다.

그대여 힘내요.
오늘도 열정은 어둠을 밝히기 위해 타오르고 있습니다.

58

'제일 바보 같은 짓은

자기가 가졌던 걸 잃어버리는 거라고 배웠는데,

편하게 노래하는 방법을 잊어버렸습니다.

분명히 그런 시절이 있었던 것 같은데 말입니다.'

라고 글을 썼더니, 그 밑에 친구의 댓글 :

변성기 전.

59

당신은 '3일만 온종일 잠만 잤으면 좋겠다.'고 생각하는 사람인가
요. 아니면 '3일만 잠 안 자고 좋은 컨디션이 유지되었으면 좋겠다.'고
생각하는 사람인가요.

당신이 여기에 대해 대답해줄 수만 있다면 나는 당신이 삶에 절은
사람인지, 열정에 절은 사람인지 알 수 있겠습니다.

60

꼭 무엇인가에 미칠 줄 모르는 사람들이
남들이 무엇인가에 미치면 그들더러
"저놈 미쳤다."는 말은 참 많이도 쓰더군요.

미친 사람보고 미쳤다고 하는 사람은
결코 미칠 수 없어요.
미친 사람과 친해지는 사람이라야
함께 미칠 수 있는 거예요.

그렇게 자신의 기대에까지 미쳐가는 겁니다.

61

학창시절, 급식비 낼 형편이 못되어 선생님께 불려 갈 때도 꼿꼿했
던 내 허리가 고작 호프집에서 술 마시고 행패 부리는 사람들 앞에서
숙여져야만 밥을 벌어 먹고살 수 있더라는 사실을 스스로 알아갈 때,
어느새 우리는 어른이 되어가고 있습니다.

62

담배가 몸에 안 좋으니까 끊어야 한다는 말은
귀에 박히도록 들었을 테니 하지 않겠습니다.

그 대신,
담배 1년씩만 끊어서 그 돈으로
부모님 여행 한 번씩 보내드리는 건 어떨까요?

63

아 그런데 당신,
이거 몇 년 만에 돈 주고 사보는 책인가요?

64

어느 아버지께서 "요즘엔 자녀들에게 '사랑한다'는 말 한마디 들어보려면 명품 시계나 명품 백이라도 하나 해주지 않으면 안 될 판"이라고 하소연을 하신 적이 있었습니다. 이런 광경을 어떻게 이해해야 하나요.

만약 그 자녀들을 만났더라면 한번 물어보고 싶습니다. 명품 시계와 명품 백에 아버지의 피와 땀이 깃들어 있다는 것을 아시니까 사랑한다는 말을 하는 것이겠지요?

65

"우리 부모님은 내가 명문대만 가면 아무 소리 안 하실 분이세요."

휴대폰에 아버지는 '물주', 어머니는 '숙식제공자'로 저장했던 그 중학생 남자 꼬마. 순간 저도 모르게 그 집안의 앞날을 걱정하는 오지랖을 범하고 말았습니다.

그 녀석 요즘은 어떻게 자라 있을까요.

66

당신은 카드를 가지고 있으면 일단 긁고 보면서
왜 인생에는 일단 도전하고 보지 못하는가요.

당신이 꿈을 이루기 위해 들고 있는 카드는 무엇입니까.

67

"저 길은 비전이 없어. 내가 도전해봐야 성공하지 못할 거야."

그럼 아직 손도 안 댔는데 성공의 문이 열릴 수 있을 거라고 생각
하셨나요. 마법사도 아닐 텐데 대단하십니다.

68

"그 직업은 전망이 안 좋아."

그놈의 전망, 전망…
우리, 경치 보려고 취직하는 건 아니잖아요.

69

절대적인 것을 위해 사는 사람이 되어야지.
결코 쇼를 하는 사람으로 살지는 말아야지.

70

스치는 바람을 손으로 잡을 수는 없는 일이건만,
'대세'라는 바람을 잡겠다고 부단히도 쫓아다니는 사람들을 보면
저는 좀 안타깝더만요.

71

꿈을 복잡하게 생각할 거 없어요. 간단합니다.
이루면 예지몽이고, 못 이루면 개꿈인 겁니다.

하지만 그 꿈이 예지몽이 되는 것도, 개꿈이 되는 것도
오로지 그대와 나의 몫으로 남아있을 테지요.

제가 대학공부를 했던 경남 진주가 고향이신
조광래 전 축구국가대표팀 감독님을 인터뷰한 뒤
사인을 부탁드린 적이 있었습니다.

여행을 다닌다는 제게 '진주에서 공부했다면서
진주에 좋은 말 놓고 무슨 깨달음을 더 필요로 하느냐'며,
사인지에는 이렇게 적어주시더군요.

"단디(제대로) 하이소!"

72

사랑하는 내 동생아. 커서 교수는 되지 말아다오.

죄를 진 사형수도 아닌데 교수형(?) 되고 싶지는 않단다.

73

'고난 끝에 행복'이라는 말이 있습니다.

잘 생각해보니 이 말을 거꾸로 풀이하면

'행복 끝에도 고난이 있다.'는 뜻이 되더군요.

실제로 행복이 과하면 그렇게 되는 경우도 존재하고요.

그래서 무엇이든지 적당한 것이 좋다고 하는가 봅니다.

74

직장상사나 아르바이트업주가

'별걸 다 신경 쓰고 있다.'는 생각이 든다면,

그것은 그분들이 할 짓이 없기 때문이라기보다는

나 자신이 그 '별것'도 신경 쓰지 못하고 있는

무능력한 직원이라서 그런 경우가 의외로 더 많습니다.

75

"개같이 벌어서 정승같이 쓰라"는 속담이 있는데,
이 속담을 지은 분을 만난다면 꼭 여쭙고 싶습니다.

개보다 정승이 돈 더 잘 벌지 않나요?
아니, 개가 돈을 벌긴 버나요?

76

매미 울음소리는 밤낮이 없고,
그대의 감정 기복도 밤낮이 없다.

77

당신은 '꿈'이라는 단어를 만나면 가슴이 두근두근 거리시나요.
저는 이 단어를 만날 때면 가슴이 두근두근 거리는 설렘을
주체할 수가 없습니다.

78

"아무것도 아닌 내가 어떻게 그렇게 할 수 있겠어?
난 안될 거야…."

당신이 남자도 여자도 아무것도 아니라면 그럼 화성인인가요.
당신도 나도 인간들의 공동체에서 한 부피를 차지하고 있는
일원입니다.

우리, 자신감을 가지고 꿈을 꾸어요.

79

어떤 아이에게 꿈이 뭐냐고 물었습니다.
아이는 부자가 되고 싶답니다.
제가 왜냐고 물었습니다.
아이는 '부자는 뭐든 돈으로 전문가를 불러다 쓰면 되니까
공부 안 해도 괜찮을 것 같아서'라고 답하더군요.

그런데 아이야,
공부를 안 하면 부자도 될 수 없단다.

이유가 뭘까요.

우리의 생각은 항상 바람직한 결정을 내리는데,

꼭 실행에 옮기면 '바람직'까지는 못 가고

그냥 '바람'에서 멈추고 마는 이유가요.

'1+1=2'와 '1x1=1' 중에서…

진로를 선택해야 하는 중요한 시기,

대부분이 1+1로 2가 되는 인생을 선택하려 합니다.

그런데 숫자를 바꾸어 계속 셈해볼까요?

1+1=2 / 2+2=4 / 3+3=6 / 4+4=8 / 5+5=10 …

1x1=1 / 2x2=4 / 3x3=9 / 4x4=16 / 5x5=25 …

그대가 선택한 곱하기 인생,

시작은 미약하나, 끝은 창대하리라!

82

편의점에서 아르바이트하던 시절, 편의점 앞을 청소하던 제게 동네 아저씨께서 해주고 가신 말씀은 "젊은이! 열심히 사시게! 부지런해서 남 주는 건 없으니까 말일세!"였습니다.

그날 당신의 한 마디가
제 삶에 얼마나 큰 에너지가 되었는지 모릅니다.

83

움직이는 몸도 바쁘고, 설레는 심장도 바쁜 시간, 20대.

84

평소 친하게 지내던 후배 하나가
일전에 제가 만나 뵈었던 명사 분을 만나러 가게 되었다며
그분 성격이 어떠냐는 질문을 하더군요.

한마디 했습니다.
"우리가 어른을 함부로 평가하면 안 되지~"

85

생각해보면,

잘 나가다가 빠진다는 내 고향 삼천포는

알고 보면,

잘 나가는 사람들이 오는 곳이네요.

다시 보면,

잘 나가지 않으면 오지도 못하는 곳이지요.

86

지난 세월, 제게도 제 인생 나름대로

영광되었던 순간은 제법 있었습니다.

그러나 언제나

'지금'보다 더한 영광의 순간은 없습니다.

나는 여전히 오늘을 살고 있다는 사실에

영광과 감사를 느낍니다.

"대학을 졸업하면 무조건 집을 나가라!"

대학을 졸업하고 모교의 행사에 참석했다가
우연히 제 교양과목을 지도하셨던 한 교수님을 만나 뵈었습니다.

요즘 글을 공부하고 있다는 제게 교수님께서는
"졸업하면 무조건 집을 나가야 한다.
취직을 못 하고 놀더라도 나가서 놀고,
글을 써도 밖으로 나가서 써라."라고 조언해 주시더군요.

그래서 저는 교수님의 말씀에 따라,
나가서 이곳저곳을 돌아다녔고,
그 결과 집을 나와서 바라본 세상에는
배울 것이 참 많더라는 사실을 깨달았습니다.

교수님,
학교 다닐 때 진작 가르쳐주시지 않았던 이유는
제가 수업시간에도 밖에 나가 있을까 봐 그러신 거겠죠?

88

명문대를 '널리 이름난 좋은 대학교'라고 한다면, 우리가 흔히 부르는 '지잡대'는 '지방의 듣지도 보지도 못한 잡 대학교'가 아닌, '지식과 잡(Job)을 쟁취할 수 있는 대학교'로 부르면 어떨까요.

둘 다 대한민국 대학생들이 다니는 대학교입니다.

89

분명히 그래요. 20대에게 명문대학에 진학한다는 것은 분명히 기쁠 수 있는 일입니다. 그러나 명문대학에 진학하느라 공부할 게 많았다며 미처 미덕을 배울 시간이 없었다고 한다면 그건 좀 곤란하지 않겠습니까.

"어느 대학을 다니든 후배들이 확실한 목표를 세우셨으면 좋겠어요. 확실하게 목표해서 공부할 것을 정해야 공부가 되는 거죠. 아니, 차라리 대학을 가기 전이나 복학 전에부터 목표에 대한 생각을 해보셨으면 좋겠어요.

그래서 내가 원하는 일이 꼭 대학을 가야 하는 일인지, 아니면 안 가도 할 수 있는 일인지를 정해서, 만약 그 일이 대학을 가야 하는 일이라면, 전공과 관계없이 어느 학교 무슨 과 찔러보고, 안 되면 저기 무슨 과 찔러보고, 또 안 되면 '안전빵'으로 저기 무슨 과 찔러보는 그런 '짓'은 좀 안 하셨으면 좋겠어요.

그런 행동으로는 자기가 원하는 인생을 살기가 어렵다고 생각해요."

– 영화 '연가시' 원안 작가 조동인 선배님과의 대화 중에서

90

문득,

'내 꿈을 이루면 나는 뭐가 달라질까?' 하는 생각을 해봤습니다.

교만하게 되지는 않을지 걱정부터 앞서더군요.

91

당신은 세상에 소속된 사람인가요.

당신은 세상에 구속된 사람인가요.

당신은 어떤 분이신가요.

당신은 어떤 삶을 살고 계신가요.

92

요 며칠 새 하루가 멀다하고 코피가 났습니다. 보고 반한 처자가 있는 것도 아닌데 코피가 나니까 왠지 억울하더군요.

93

평소에는 그렇게 가벼운 이불 한 장이
아침에는 왜 그렇게 박차고 나가기가 힘든 걸까요.
제게 '사나이'라는 단어를 꺼내기가
부끄럽게 만드는 유일한 여인이 있습니다.

그녀는 매일 아침마다
이불 한 장 앞에서 굴복하고 있는 내 모습을
한심하다는 표정으로 지켜보고 계시는
우리 어머니.

94

그대의 부모가 시대적으로
그대보다 모자라게 배운 사람이라고 해서
그대에게 주는 사랑이
모자란 것은 아닌데 말입니다.

95

'비상'이라는 단어에는 두 가지 뜻이 담겨있다.
위기를 뜻하기도 하고, 높아짐을 뜻하기도 한다.

비상일 때 비상할 수 있다는 사실을 확신하라.
비상할 때 비상일 수 있다는 사실도 잊지 마라.

위기가 왔을 때야말로 높아질 수 있는 기회임을 상기하라.
높아지고 있을 때야말로 위기가 올 수 있음을 자각하라.

96

몸이 피곤하니 마음도 피곤합니다.
마음이 피곤하니 몸도 피곤합니다.

왜 그런 걸까요.
몸 피곤해지는 데에 마음이 한 일이라곤 아무것도 없는데.
마음 피곤해지는 데에 몸이 한 일이라곤 아무것도 없는데.

97

사실 처음에는 내 고장의 좋은 경치를 만끽하면서, 집 컴퓨터 앞에 앉아 향긋한 모닝커피를 마시면서, 제법 로맨틱하게 글을 쓰고 있을 줄 알고 고향으로 내려가 이 책을 쓰기 시작했습니다.

제대로 환상이었습니다. 아침에는 글이 써지지 않아서 밤이 되어서야 글을 쓸 수 있었고, 또 글을 쓰는 게 일이라기보다는 머리를 긁는 게 주된 일이 되어버리더군요.

98

예술가는 예민한 편이므로
우울함에 금방 노출되기 쉽습니다.

하지만 예술가는 예민한 편이므로
행복도 작은 것에서 금방 찾을 수 있습니다.

그러고 보면 예술가가 예민한 것이
꼭 단점만은 아닐지도 모른다는 생각이 들었습니다.

성악도로 살았던 대학생 시절의 기억을 떠올려봅니다.

성악을 공부하는 학생들의 경우,

연습할 때 멋진 소리 한번 내어 보겠다고,

혹은 어떡해서든 화려한 고음 한번 내어 보겠다고

잘 나가는 성악가들의 소리를 따라 해보기도 하고,

또 그들의 몸동작을 따라 해보기도 합니다.

좀 우스꽝스럽게 생각되겠지만,

심지어는 성악가들의 동영상을 보면서

고음을 낼 때 주름이 찌푸려지는 부분까지

따라 흉내를 내어가며 연습하는 친구들까지 있습니다.

그리고 그들은 그렇게 성악가로 성장해나갑니다.

그래서 성공하려면 성공한 사람처럼 생각하고

행동할 수 있어야 한다고 말씀들 하시는가 봅니다.

100

회사에 가장 일찍 출근하는 사람들을 보면 대개는 그 조직의 리더들입니다. 아무리 생각해도 성공한 사람들은 기본적으로 부지런한 것 같습니다. 직장에서도 주인은 일을 미루지 않고, 종업원은 일을 미루려 하는 모습을 보면 더욱 그러한 점을 느낄 수 있습니다.

나는 내 인생의 주인으로 살아가고 있나요. 아니면 종업원으로 살아가고 있나요.

101

슬럼프에 빠진 그대에게

뭔가 배우고 있지 아니한 사람은 슬럼프가 생기지도 않습니다.

'별일 아니다' 싶어서 그냥 지나쳤던 일들은
항상 아쉬움을 남겨서 제 존재감을 과시해야만
직성이 풀리나 봅니다.

작은 일을 그냥 지나쳤던 사람들일수록
지난날을 후회하게 되는 것을 보면 말예요.

내가 지금 그때를 후회하고 있는 것은
그때 내가 최선을 다하지 않았기 때문은 아니다.
다만 그때가 지나서야 몰랐던
새로운 것을 깨닫게 되어버린 것일 뿐.

아무리 '어려운 일을 놓고 무조건 되게 만드는 것도 능사는 아니다.'라고는 하지만, 그때는 후배들에게 '안 되는 건 안 되는 일'이라는 교훈을 전해주는 선배가 되고 싶지는 않았습니다.

여러분은 자신의 후배들에게 어떤 선배가 되고 싶으신가요.

어둠 앞에서 노래하고 있는 사람들이나, 어둠 속에서 춤추고 있는 사람들에게 비아냥거리거나 손가락질하던 사람들은 언제나 어둠을 그냥 지나치던 빛이 없는 비겁한 겁쟁이들이었습니다.

꿈을 말할 자신이 없으면
말할 자신뿐만 아니라, 이룰 자신도 없을지 모릅니다.

시원하게 말하고서 뱉은 말에 책임지려는 모습도
결과에 상관없이 멋있지 않나요?

107

시간을 의미 있게 쓰는 사람이기보다는
돈을 의미 있게 쓰는 사람이라야 한다.

돈을 멋있게 쓰는 사람이기보다는
시간을 멋있게 쓰는 사람이라야 한다.

그런 사람이라야 무게감이 있다.

108

어른이 되면서, 혹은 결혼을 하면서
또는 새로운 무언가를 도전하게 되면서
내려놓아야 할 것들이 많아졌다는 것은
체념할 때가 왔음을 뜻하는 것이 아니라,
그만큼의 새로운 소망과 소명과 운명을
담아야 할 때가 왔음을 뜻함이 아닐런지요.

"세상엔 쉬운 게 하나도 없다."

그러나 인생이 마음대로 되면 재미가 없다고 했으니
뒤집어서 생각해보면 이렇게 됩니다.

"세상에 재미없는 것은 하나도 없다."

마음처럼 안 돌아가는 세상이긴 하지만
그래도 이만하면 제법 괜찮은 세상 아닐런지요.

110

대다수의 사람들이 '가슴 속에 꽃 한 송이 피우겠다.'는 세상에서
과감히 꽃이 되길 포기하고, 흙과 비가 되는 사람은 훗날 몇십 억 송
이의 꽃을 피우는 사람이 되어있을 것입니다.

111

잠이 들기 전, 나 자신에게 물어보았습니다.
혹시 밥값도 못한 오늘을 보낸 것은 아니었겠지요.

대개 사람들은,

실천할 용기가 없는 것에는 '이상'이라는 이름을 붙이고,

실천할 수 있는 것에만 '현실'이라는 이름을 붙이더군요.

당신의 꿈에는 어떤 이름을 붙였나요?

별똥별

별똥별이 슬픔을 안고 추락하는 순간
사람들의 슬픔은 하늘로 올라가는가보다

별똥별이 내리는 광경을 보았을 때에
사람들 마음속에 기쁨이 내려온 것을 보면

삶은

삶은
옥수수가 아니다

삶은
달걀이 아니다

삶은
감자도 아니다

삶은
고구마도 아니다

삶은
그냥 어렵다

소망 하나

떨렸으면
좋겠다

나만 말고
너랑 같이

내 가슴에 꽃 피는 그 모든 것은

옳은 것이고
정의로운 것이어야 하며

상식적인 것이고
진실한 것이어야 한다

그대에게 바치는 짧은 시

그대에게 바치는 시가 짧은 것은
성의가 부족해서 그런 것이 아니다

내 정성을 모두 기울여 시를 썼으나
쓰고 보니 장황한 말이 필요 없는 사람

그것은 허무함이 느껴지지 않는 신비한 한마디
그대는 너무나 사랑스럽고 아름답다

제2장

뒷모습

고난과 고통의 독백

지우고 싶은 기억을 억지로 지우려 하는 것은 마치,
'오른쪽 버튼이 없는 마우스'로 인터넷 익스플로러 파일을
계속 클릭하는 일과 같아요.

자꾸 기억을 지우려고 클릭할수록 더블클릭이 되어
창은 더 많이 열리고, 결국엔 그 기억의 조금만도 지우지 못하는
오히려 걷잡을 수 없을 만큼 생각나게 되는
그런 악순환에 놓일 테니까요.

그냥 그대로 두면 파일이 삭제되지는 않더라도
최소한 창이 더 열리지는 않을 텐데요.

이제 다시 서서히 '창 닫기'를 클릭해야 할 때.

지우고 싶다고 생각하는 것이 있다

태어나서 처음 아르바이트를 했던 것이 신문 배달이었다. 고등학생이 되고 나서 돈을 벌어보고 싶다는 생각을 했다. 딱히 뭔가 갖고 싶은 게 있었던 것은 아니었지만, 뭐랄까. 매일 학교와 집을 오가는 똑같은 일상에서 자라나는 막막함 같은 감정 탓이었을지도 모르겠다.

자전거에 신문을 가득 싣고 신문사를 나서서 새벽 거리를 활보하면 기분이 참 좋았다. 그때는 내 꿈에 자주 비유하곤 했던 밤하늘에 떠 있는 반짝이는 별들을 자유롭게 사색할 수 있는 것만으로도 좋았고, 밖에 나와서도 혼자 노래를 마음껏 흥얼거릴 수 있다는 것도 좋았고, 새벽부터 열심히 움직이시는 환경미화원 아저씨들의 모습도 힘을 낼 수 있어서 좋았고, 신문을 받는 분들로부터 어린 친구가 고생이 많다며 수고하라는 인사를 듣는 것도 좋았다.

첫눈이 내리던 날에는 환경미화원 아저씨들께서 미리 쓸어둔 눈길 사이로 자전거를 몰면서 내리는 첫눈에 대고 소원을 빌어보기도 했고, 가끔씩 별똥별이 내리는 것을 목격하면 신기하게 바라보다가 냉큼 소원을 빌기도 했다. 예전이나 지금이나 변함없이 기도하는 소망. 어머니가 건강하게 살도록 해주세요. 내 동생은 나보다 더 훌륭한 사람이 되게 해주세요. 내게 가족들을 지킬 수 있는 힘을 주세요.

신문 배달을 다 마치고 등교를 하기 위해 집으로 돌아가면 그 시각 어머니는 늘 출근을 준비하고 계셨다. 내가 지금까지 가장 많이 보아온 어머니의 모습이다. 신문 배달을 그만둔 뒤로는 아직 잠을 더 자고 있는 시간으로 바뀐 그 시간대에도 어머니는 여전히 출근을 준비하고 계셨고, 집을 나서시기 전에는 꼭 내방 문을 열어보시고는 이불을 덮고 자고 있는 내 모습을 확인한 뒤에야 출근길을 향하셨다. 그때 나는 종종 그 모습을 잠이 덜 깬 채 실눈으로 바라보곤 했었다.

지금도 넉넉하게 사는 편은 아니지만, 학창시절 우리 집은 정말 가난한 가정이었다. 집안의 사업이 망하면서 어린 시절부터 우리 가족은 월세방과 전세방을 찾아 여러 군데를 전전긍긍하며 살아야만 했다. 방이 세 칸인 집에서 살았다가 방이 두 칸인 집에서도 살았고, 단

칸방인 집에서도 살았으며, 심지어는 세금을 낼 돈이 없어 전기와 보일러가 끊긴 집에서 겨울을 나기도 했다. 그리고 급기야는 가족이 거리로 나앉아 친척집의 눈칫밥을 먹으며 얹혀사는 신세를 면치 못했던 시절도 있었다.

그렇게 형편이 어려웠으면 자식들이라도 철이 빨리 들어야 할 텐데, 그런 상황에서도 나는 그저 노는 게 좋았고 공부는 너무너무 하기 싫어했던, 학교에서는 철없는 학생이자 집안에서는 철없는 자녀였다. 다행히도 어머니는 그런 속 썩이는 못난 아들을 버리지 않고 오랜 시간 죽을힘을 다해 꼬옥 품어주셨다. 지구촌 70억 인구 중에 자식들을 사랑하는 부모님을 만나는 것은 인생에 있어 정말 대단한 행운이라고 할 수 있다. 나는 훗날 다시 태어나도 꼭 지금의 부모님과 함께 살길 소망한다.

시간이 흐른 지금, 다른 건 모두 다 현실로 받아들일 수 있지만 '그래도 정말 이것만큼은 지우고 싶다.'고 생각하는 것이 있다면 부모님의 주름살 아닐까. 나중에 나는 부모님께서 내게 물려줄 것이 없다고 하더라도 좋다. 예전에 유학을 다녀오신 어떤 음악 선생님께서 가르쳐 주신 이야기가 있는데, 이탈리아에 가면 자녀가 열일곱 살만 되어도 스스로 밥벌이를 하고 산다고. 그런데 나는 스무 살까지나 부모님의 도움을 받고 자랐으니 이 정도면 많이 받은 것 아닐까.

뱃속에 있을 때부터 지금까지 자라는 동안 나는 이미 좋은 것들을 많이 물려받았고 그 덕분에 이만큼이나 살아올 수 있었음을 실감하고 있다. 이를테면 슬픔을 적극적으로 사라지게 하고 대신 긍정으로 채울 수 있는 능력 같은 것들이랄까? 글을 쓰거나 노래를 하는 것, 그리고 기도하는 것. 그런 것들을 말이다.

우리가 '88만원 세대'가 된 것이 기성세대들 때문으로 보는 친구들이 많은 것을 알고 있다. 나는 이 사실이 내가 88만원 세대에 해당하는 사람이라는 사실 이상으로 불안할 때가 많다. 분석적인 관점으로 보는 것은 좋겠지만, 그로 인해 기성세대에 대한 피해의식이나 보상심리를 가지는 사람들이 생기지는 않을까 하는 걱정 때문이다.

이 글을 읽는 친구들에게 들려주고 싶다. 기성세대에 해당하는 부모님들께선 열심히 벌어서 우리와 우리의 식구들을 먹여 살리는 데 힘쓰셨다는 것을. 그리고 우리는 그분들께서 번 돈으로 이만큼 배우고 성장할 수 있었다는 것을.

인생이 20부작짜리 미니시리즈인가요?

1

오늘도 '걱정 이태산' 선생께서 찾아오셨습니다.

오늘은 '걱정'이라는 선생의 호(號)를 좀 바꿔드리고 싶군요.

선생, '갈길'이라는 호는 어떻습니까?

2

매일 귀에 이어폰이나 꽂고 있다 보니,

자연이 들려주는 음악은 미처 듣지 못했습니다.

3

"나쁜 짓 하면 천벌 받는다"는 가르침은 네 살배기 애들도 동화책에서 다 배우는 교훈이건만, 많이 배운 사람들 중에는 어릴 때 동화책 읽을 시간이 없었던 분들도 더러 계신 것 같습니다. 역시 어릴 때부터 공부할 게 많아서 그랬던 거겠죠?

4

문제가 많은 자리에 내가 있다는 것을 꼭 불행이라고 보기는 어렵겠습니다. 어쩌면 그것은 앞으로 내가 그곳에서 쓰임 받을 일이 많다는 것일 수도 있고, 어쩌면 그것은 앞으로 내가 그곳에서 인정받을 일이 많다는 것일 지도 모르니까요.

5

거기 학교 시험 못 쳤다고 주눅 든 학생,
너무 걱정 마오.

사람을 시험하는 것은 신의 영역이지,
결코 학교의 영역이 아니라오.

6

인생이 생각대로만 이루어진다면 얼마나 좋겠어요.
하지만 인생이 생각대로 이루어지기란 결코 쉽지 않기에 ·
오히려 인생을 사는 것은 더욱 매력적인 것 아닐까요.

7

어쩌면 인생은 생각대로 살아가는 용기도 필요하지만,
살아가면서 생각하는 지혜도 요구되는 것 아닐까요?

8

대개 사람들은 중심이 되고 싶어
가운데를 찾는 경향이 있다고 하는데,
조심하세요.

괜히 어설프게 중심에 섰다가
결국 중간도 못 가는 경우가 많습니다.

9

누가 한 말인지, 누가 정했는지도 모르는

그냥 사람들 사이에서 떠돌아다니는 소문을

'유언비어'라고 하던데,

요즘에 떠돌아다니는 유언비어는 이런 것들 같더군요.

'우리나라는 영어가 기본이야.'

'우리나라는 아직 학벌이 우선이야.'

'우리나라는 돈이 최고야.'

…

사실은

마음만 먹으면 그거 다 가질 수 있는 당신이야말로

가장 기본이고, 우선이고, 최고인데 말입니다.

사람들을 만나보니 명문대학에 가지 못했다고 해서 훌륭한 사람이 될 수 없는 것은 아니었습니다. 명문대학을 가는 것이 중요하다기보다는, 내가 원하는 학문을 공부할 수 있는 환경이 주어진 것에 대해 감사하는 마음으로 대학을 다닐 수 있는 자세가 중요한 것 아닐까요?

수험생들이 수능시험에서 좋은 점수를 내길 바란다는 바람보다는 수험생들이 긍정과 지혜를 가져서 자살을 택하는 이들이 단 한 명도 없는 세상이 되기를 바라봅니다.

수능 점수가 내 인생의 점수인 것도 아니고, 게다가 고작 숫자에 내 삶 전체를 담보하기엔 우리 인생은 너무나 귀한 거잖아요. 그렇게 그들을 응원합니다.

대한민국 수험생들 모두 파이팅!

솔직히 어릴 때엔 때때로 부모님 잘 만나서 '돈 많은 집 자식'으로 태어난 이들이 부러울 때도 많았습니다. 그런데 알고 보니 그 '돈 많은 집 친구들' 중에도 나름대로의 비애가 있더군요.

어릴 때부터 친구도 마음대로 사귀지 못하고, 가업 때문에 진로도 마음대로 정하지 못하고, 사랑하는 사람과 결혼도 마음대로 하지 못하는, 남들에게 이런 고민을 말하면 혹시나 '배부른 소리'라는 말을 들을까 봐 차마 말도 꺼내지 못하는 그들 나름대로의 아픔을 보았습니다.

어떻게 살던 긍정적이지 못하다면, 힘들기는 매한가지인가 봅니다.

13

'긍정적으로' 살아가는 친구들은
'금전적으로' 살아가는 친구들조차도 몹시 부러워하는 사람입니다.

14

사람은 조금이라도 더 밝은 빛을 보려고 하다가 결국 눈이 멀고
말지.

15

"아버지가 깔아주신 멍석에서 편하게 살아온 저 친구하고
제가 무슨 이야기를 하겠습니까."

그러자 하나님 왈,
"너는 내가 깔아준 멍석에서 지금까지 잘 살아오지 않았더냐."

16

비록 부모님께 땅이나 재산 같은 걸 물려받지는 못했으나 부모의
은혜를 하늘같이 여길 줄 아는 사람은 세상 사람들에게도 존경받아
마땅한 인물임이 분명하고,

부모님께 땅이나 재산을 어마어마 돋게(?) 물려받고도 부모의 은혜
가 뭔지도 모르고 사는 사람은 부모가 늙으면 먹이를 물고 와서 봉양
한다는 까마귀보다도 못한 새 대가리임이 분명하다.

17

"한 부모는 열 자식을 데리고 먹여 살리는데,

열 자식은 하나 있는 부모의 거처도 마련해주지 못하고,

먹이지도 못한다."

버스를 타고 집에 가는 길,

저는 뒷좌석에 앉은 어르신들의 말씀에 얼굴이 화끈거렸습니다.

18

제가 지금까지 살면서 우리 가족 명의로 된 집이 있었던 때는 단 3년이라는 시간뿐이었습니다. 하지만 그때가 그런 집을 가지지 못했을 때보다 행복하지만은 않았습니다.

19

몇 밤 자고 일어났더니 어느새 부모님의 머리카락이 하얗게 변해있더군요. 헐입니다.

20

대학 시절, 한번은 부모님께서 몸이 편찮으시다는 이야기를 듣고
는 수업이 끝나자마자 기숙사에서 부랴부랴 집으로 내려왔습니다. 도
착하자마자 부모님께 인사를 드렸습니다. 그리고는 평소엔 잘 하지
않았던 집안일을 하기 시작했습니다.

분명히 예전 같으면 "웬일이냐?"고 물으셨을 부모님께서 그날은
"이럴 땐 아픈 것도 좋구나."라며 웃어 보이시더군요. 그 모습을 보고
는 그동안 변변한 효도도 제대로 해드리지 못했다는 생각에 가슴이
시려 아무 대답도 하지 못했습니다.

21

아들을 20여 년이 넘도록 키워놓으시고는 그 아들이 고작 쌀가마
니 하나 들어다 준 것 가지고 "아들 키운 보람이 있다."며 웃어 보이
시는 어머니 앞에서 아들은 목이 메어 또 한 번 아무 대답도 하지 못
했습니다.

22

저와 제 동생을 지금까지 키워 오시면서
스스로 옷 한 벌도 제대로 사 입어보지 못하셨던 우리 어머니.
그런 어머니에게서 배운 것이 하나 있습니다.

원래 아등바등 살아남기 바쁜 사람은
'체면'이라는 단어를 알지 못한다고 하시더군요.
그런데 오늘도 '죽지 못해 산다'는 말을 읊조리고 계신
나란 인생은 오늘 하루도 몇 번이나
'체면'이라는 단어를 부여잡고 계셨던가요.

아무래도 그대의 청춘은 아직 좀 살만하신 모양입니다.

23

"죽지 못해 산다."

그래요. 당신은 오늘도 안 죽고 살아있고, 내일도 안 죽고 살아있
을 겁니다. 또 모레도 그럴 거고요. 그러니까 자연이 허락하는 그날까
지 열심히 행복을 위해서 살아가면 되는 겁니다. 날씨가 좀 흐리긴 하
지만 '오늘'이라는 이유만으로도 좋은 하루입니다.

24

때때로 자기 자신에 대해 '회의감'이 들 때가 있다면,
일단 진정하고 진지하게 나 자신과의 '회의시간'을 가져보세요.

자신의 마음을 깊게 성찰해볼 수 있는 그런 시간 말예요.

25

참 다행이지요?
'결핍'은 뜨거운 가슴으로 해결할 수 있고,
'위기'는 냉철한 두뇌로 해결할 수 있음이.

26

'양자택일'이 어려운 경우가 많은 이유는 단연 51:49중에서 선택해야 하는 상황에 놓일 때가 많기 때문입니다. 하나를 선택하면 또 다른 하나를 선택하지 않은 것에 대해 후회하게 될까 봐 꼭 그렇게 망설여집니다.

그냥 49가 없었다고 생각하고 51을 선택하기로 했습니다. 처음부터 51만 있었던 것처럼.

27

혈기왕성한 청춘이거늘 어찌 이상과 욕심이 없겠습니까. 하지만 이상이 주는 희망과 욕심이 주는 욕망을 구분하지 못하여 욕심으로 제 눈을 가리는 어리석은 일은 없도록 노력하며 살아가길 원합니다.

28

아무리 캄캄한 밤일지라도, 반드시 새벽은 온다잖아요.
'슬럼프'라는 것도 그런 거 아닐까 싶었습니다.

'새벽이 오기 전의 어두운 밤'

29

"다시 시간을 되돌린다면 공부 더 잘할 수 있었을 텐데…."

지금부터라도 시작하지 못할 일이면, 그냥 생각하지 않기로 해요.
대부분은 그때로 돌아가 봐야 예전과 별반 다를 게 없어요.

30

"공부는 힘들어서 못하겠고, 일은 빡세서 못하겠다."

그럼 놀고먹기만 하면서 사는 것은 힘들고 빡세지 않으신가요.

31

'강박장애'라는 병이 있다. 자신의 의지로는 하고 싶지 않지만,
어떤 특정한 생각이나 행동을 반복하게 되는 것이 특징인
정신질환.

임상에서는 스스로 불합리성을 인정하면서도
이를 중단하지 못해서 괴로워할 때 '병'이라고 진단한다는데,[1]

의사선생님.
그럼 자신이 철없이 행동한다는 것을 알면서도
이를 멈추지 못한다면, 그것도 역시 '병'이라고 봐야겠지요?

---

1) 양창순著, 『나는 까칠하게 살기로 했다』, 280~281p, 센추리원刊.

32

"내 20대를 매일 이렇게 일, 공부, 일, 공부로
썩히고 있어야 하나 싶어요."

공부하고 일하는 것이 내 인생을 썩히고 있는 게 아니라,
빈둥빈둥 놀면서 시간을 버리는 것이
내 인생을 썩히고 있는 것 아닌가요.

33

나라님들께서 국가의 문제와 성장을 무책임하게 내팽개치는 국가
의 국민들은 불행한 국민들이지만, 자기 자신의 문제와 성장을 무책
임하게 내팽개치는 사람의 청춘 또한 불행한 청춘 아닐까요.

34

인생은 백지상태의 노멀엔딩(Normal-ending)을 위협하는 새드엔딩
(Sad-ending)을 저지하려는 노력으로 해피엔딩(Happy-ending)을 만날
수 있게 된다.

35

'경험 삼아' 하는 일이라고 해도 만약 최선을 다하지 않았다면 그것은 경험한 것이 아니라는 생각이 들었습니다. 그것은 나중에 '내가 해봐서 안다'고 말하고 다닐 일은 못 될 거예요.

오늘도 질문했습니다.
나는 지금 내가 하는 일에 최선을 다하고 있는가요.

36

매우 부끄러운 일입니다만 저도 아르바이트하면서 지각을 밥 먹듯이 했던 시절이 있었고, 근무시간에 걸핏하면 핸드폰을 만지며 이른바 '농땡이'를 부리던 시절도 있었습니다.

지나보니 그것은 '내가 그곳에서 돈을 왜 받는지'를 모르는 행동들이었습니다. 이 시대의 지성이 될 후배분들께서는 그러지 않기를 바라며, 제 부끄러운 치부를 고백합니다.

37

　지금의 어른들께서 학력이 없이도 잘 살고 계신다고 해서 결코 안
도하지는 마세요. 그분들은 돈이 없어서 학교를 다니지 못했던 것이
지, 현명하게 자신들의 인생을 걸어오셨습니다. 요즘처럼 노느라고 학
력이 없었던 분들은 아니었어요.

38

그놈의 돈, 돈, 돈….

우리 솔직하게 말해봅시다.

정말로 돈이 문제입니까?

아니면 내가 문제입니까?

39

반드시 이 생애에서, 이 세상에서
천국을 보고 말리라고 다짐했던 나에게
당신께선 수많은 지옥을 만나게 하셨습니다.

그리고 나서야 비로소 나는
내가 숨 쉬고 서 있는 이곳이
천국이라는 사실을 깨달았습니다.

40

　장애인을 돕는 봉사활동을 가 본 사람들은 알겠지만 대개 장애인
들은 없는 것 대신 있는 것을 생각하며 웃을 수 있는데, 왜 우리는 그
들보다 가진 것도 많으면서 있는 것 대신 없는 것만 생각하느라 투덜
거리기 바쁜 건지요.

　저 자신부터 고개를 들 수가 없었습니다.

41

무대 위에 서면 나는 빛을 가지고, 관객들은 어둠을 가집니다.
무대에 선 주인공은 어둠을 가진 관객들을 끌어안을 줄
알아야 합니다.

당신은 세상이라는 무대 위의 주인공입니다.
그렇다면 주목받지 못하는 불쌍한 이들을 감싸 안을 줄
알아야 합니다.

42

만약 수업시간에 작곡을 해오라는 숙제를 받았다면
다음 중 지금 내 머릿속에 가장 많이 떠올리는 음표는?

1. 4분 음표
2. 8분 음표
3. 16분 음표
4. 32분 음표
5. 물음표

몇 번이 정답이든, 아마 우리 일상도 그와 마찬가지일 듯!

43

성악가들은 노래하면 감정을 태우고,
일반인들은 노래하면 목이 탄다는데

학창시절,
나는 노래하면 왜 그리도 애가 탔던지.

44

길 가다 역한 냄새가 날 때마다 내가 대학에서 성악을 공부해서
폐활량이 길어졌다는 사실이 새삼 다행스럽게 여겨지더라는 이 불편
한 감사.

45

주사위를 6을 보고 던진다고 해서
꼭 6이 나오는 것은 아니잖아요.

하고 있는 일이 생각한 만큼 안 나오더라도
너무 실망하지는 마세요.

주사위는 또 던질 수 있습니다.

46

아무리 생각해도 이해가 안 되는 것이 있다면,
생각을 너무 오래 붙들고 있지 마세요.
생각을 오래 하다 보면 때로 이해는커녕,
오해를 생성하는 경우도 있으니까요.

우리 그냥 통과합시다.

인생에서 중요한 열 가지의 '성'

性 (성품 성) : 좋은 성품을 가지세요.

誠 (정성 성) : 성의를 보이세요.

盛 (성할 성) : 몸이 성해야 합니다. 아프지 마세요.

醒 (술 깰 성) : 술에 절어 살지 마세요.

聲 (소리 성) : 듣기 좋은 목소리를 연습하세요.

晟 (밝을 성) : 밝게 웃으세요.

省 (살필 성) : 항상 나 자신과 주위를 살피세요.

惺 (영리할 성) : 처한 상황에 영리하게 대처하세요.

聖 (성스러울 성) : 인과 덕을 갖춘 성인이 되세요.

成 (이룰 성) : 언제나 꿈을 꾸고, 꿈을 이루세요.

48

출세(出世) : 세상에 태어남.[2]

이미 세상에 태어나 있는데도 고놈의 '출세' 타령하는 친구들을 보면, 도대체 어느 세상에서 태어나고 싶은지 한번 물어보고 싶다는 생각이 들곤 합니다.

49

기도는 절실함보다 내려놓은 기도가 좋습니다.
당신 앞에서 이고 진 짐을 풀어놓는 그 자리에서
나는 그토록 간절했던 절실함도 내려놓았습니다.

---

2) 네이버 국어사전에서 '출세' 검색.

50

'열 손가락 깨물어 안 아픈 손가락 없다'고 하는데, 그렇다면 입이 손가락들을 각자 똑같은 강도로 깨문다는 보장은 있으신가요.

혹시 당신은 부모님께 아무런 효도도 하지 않았으면서, 부모님께 효도하는 내 형제와 똑같은 크기의 사랑을 받기를 바라고 있지는 않았나요.

만약 그렇다면 그것은 막돼먹은 보상심리.

51

누구나 가슴 속에 상처 하나쯤은 가지고 살아가는 법입니다. 그런데 만약 당신이 그로 인한 피해의식과 보상심리를 버리지 못한다면 아마 스스로 파국을 맞을지도 모릅니다. 피해의식과 보상심리를 과감하게 떨쳐버리세요. 그러면 비로소 파국 대신 천국을 맞을 수 있을 테니까요.

52

대기업을 바라보다가 중소기업에 입사했다고 해서
인생이 낮아지는 것은 결코 아닌데 말입니다.

53

어쩌면 정답이 없는 우리의 인생에서 그놈의 답, 답, 답만 찾으려
고 하니까 답답해지는 것은 아닐런지요.

54

시곗바늘은 단지 시간을 알리기 위해 지나가는 것이 일이건만,
한 번씩 남의 추억을 지워버리는 오지랖도 범하는가 봅니다.

55

'과거'는 '오늘'에 투자할 수 있는 값진 자산이라는 것을 떠나서, 단
지 '내가 살아온 기억'이라는 그 하나의 이유만으로도 존재의 가치가
있습니다.

56

"어른이 되니까 돈 버는 일에 바빠서
어렸을 때처럼 자유롭지가 못한 것 같아."

어차피 시간을 되돌릴 수 없는 거라면,
우리 그냥 반대로 생각해보는 건 어떨까요.

'어릴 땐 자유롭게 돈을 벌 수 없었고,
지금은 그때에 비하면 자유롭게 돈을 벌 수 있다.'

그렇게 생각해요 우리.

57

뭔가 큰일을 하려 할 때,
"니가 뭔데?"라는 식의 사람들 반응을
일단 이겨내는 것이 지혜로운 행동입니다.

그러면 그다음은
사람들이 언제부턴가 당신이 하는 일을
자연스럽고 당연하게 받아들이게 될 겁니다.

58

말썽쟁이 사춘기 시절,
저는 가출했던 친구들이 집으로 돌아갈 때는
반드시 빈털터리로 돌아가게 되는 모습을 보면서
'가출하면 나만 손해'라는
소중한 교훈을 얻을 수 있었습니다.

하지만 그렇다고
내 가족들을 가출시킬 필요까지는 없었는데. 쩝.

59

철이 드는 게 어렵다고 해서
철이 드는 걸 포기하고 살 수는 없잖아요.

60

요즘 세상엔 별의 별일이 다 생기던데,
제발 지구에선 지구별일만 생기면 안 되나요.

61

가끔씩 놀랄만한 일을 겪어오긴 했지만

나는 지금까지 이렇게 별 탈 없이 잘 살아있습니다.

한 번씩 그런 일을 겪게 되더라도

그저 지루한 삶에서 가끔씩 오는 납량특집쯤으로 여긴다면

그런 일들도 제법 인생을 살맛 나게 하더군요.

62

달팽이는 칼날 위로 올라가도 다치지 않는다.

유일하게 네 녀석이 부러운 순간이다.

상처 입을 것에 상처받지 않는 것 말이야.

63

언제나 그렇듯,

우리는 남에게는 잘하는 조언을

나 자신에게는 잘하지 못한다.

분명히 나에겐 내 자신이 가장 특별한데,

정작 그런 나 자신에게는 바보같이

아무런 조언도 해주지 못한다.

64

동네의 오래된 나무 아래에 앉아 그 나무에게 물었습니다. 당신은
몇백 년을 살아오면서 겪었을 그 만고풍설 다 어떻게 견뎌오셨나요.

65

참 어렵다.

그 이름 인생이여.

66

내려놓고 사는 습관을 연습하는 요즘입니다. 하지만 그렇다고 버스에 지갑을 내려놓고 나올 필요는 없었을 텐데. 그렇게 곧 멘탈까지 내려놓게 되었습니다.

67

자기 긍정 테스트

공책 하나를 사세요. 그 공책 앞장엔 기분 좋은 것들이나 좋아하는 것, 감사한 것들을 적어보고, 뒷장엔 기분 나쁜 것들이나 싫어하는 것, 서운한 것들을 적어보세요. 하루하루 말이에요.

공책이 다 차면 좋은 것들과 나쁜 것들 중 어느 쪽이 공책의 반을 넘겼는지 한번 보세요. 만약 기분 좋은 것들이 반이 넘는다면 당신은 긍정적인 사람이고, 혹시 기분 나쁜 것들이 반이 넘는다면 이제부터라도 부정적인 그것들을 하나하나 줄여나가 보기로 하는 겁니다.

68

꿈을 이루는 길에 마주하는 고통의 시간은
'꿈에 대한 확신을 확인하는 시간'입니다.

물질적으로 보이지 않는 꿈을 들여다보는 시간이며,
보이지 않는 그 꿈을 보이는 곳으로 내어놓기 위한 시간.

69

'외로움'이라는 단어의 '외'에서 'ㅚ'라는 모음을 빼보세요.

'이로움'

성공한 사람들에겐 저마다 외로움이라는 시간들이 있었습니다. 그
외로움을 사랑할 수 있어야, 비로소 이로움을 느낄 수 있으니까요.

70

'모태솔로'로 대학을 졸업하긴 했지만, 그러나 알고 있습니다. 지금
까지 내가 겪었던 외로움은 아주 '미비한 외로움'이라는 것을. 나는 또
다른 고독의 시간과 마주할 수 있어야 한다는 것을.

71

언젠가는 세간의 이목을 집중시킬 수 있을 당신이 선
'잠시 슬픈' 그 자리의 이름. '아웃사이더'

72

'준비 중인 음료는 곧 시판, 책은 좀 더 뒤에 출판,
현재 일정은 이판사판, 컨디션은 완전 개판.

그럼에도 인생은 언제나 아름다운 들판.'

— 2012년 어느 날의 일기장에서

73

자녀여,
대화가 안 되는 아버지라도
이해하고 사랑하소서.

그분들에게 죄가 있다면
가정을 살리느라 돈 벌기에 바빠
자식들과의 대화 방법을 교육받거나
생각해볼 여유가 없었을 뿐입니다.

오직,
밖에서 고되도록 일하는 것만이
유일한 보상방법이었을 테니까요.

74

삶은 옥수수가 아닙니다.
삶은 그냥 어렵습니다.

그러나
삶은 너무나 귀한 것입니다.

원하는 삶을 살기도 바쁜 삶이잖아요.
지금 나는 내가 원하는 방향으로 나아가고 있나요.

75

봄의 나른함도, 여름의 태풍도, 가을의 쓸쓸함도, 겨울의 추위도
결국은 지나가기 마련인데, 왜 '그저 열심히'밖에 몰라서 정말 그저 열
심히만 사는 사람들이 절벽으로 내몰리게 되는 사회 환경은 지나가지
않는 것일까요.

이런 경우의 소식을 접하는 날은 그냥 속만 상합니다.

76

살면서 때때로 그런 기분이 들 때가 있다.

거미줄이 엉킨 기분이라고 할까?

풀려고 하면 끊어질까 봐 차마 풀지도 못하고

가만히 있어야 하는 그런 기분 말이야.

그치?

77

나는 무색이거나 혹은 회색이 아닙니다.

내게는 나만의 분명한 색깔이 있습니다.

그러니까 내가 가진 색깔을 좋아하는 사람들이 있으면

그만큼 싫어하는 사람들이 있어도 할 수 없는 거예요.

당신을 싫어하는 사람들 때문에 괜히 상처받지 말아요.

78

슬프고 힘든 것이 문제는 아닌 것 같습니다.
슬프고 힘든 적이 없는 것이 오히려 문제 아닐까요?

슬프고 힘들다는 느낌을 가져본 적이 없는 사람은
'나'라는 인생에 어떤 투자를 해본 적이 있었을까요?

79

솔직하게 말하자면 고난이 오는 것은
이제 별로 두렵지 않습니다.

다만 고난을 벗어나려는 노력을
포기하게 될까 그게 두려울 뿐입니다.

"위기와 기회가 따로따로 존재하지는 않는다고 생각해요.
물론 '좋은 환경'에서 성공을 한다는 것은 편안할 수 있겠죠.

하지만 다른 사람들도 '그것이 좋다.'는 것을 알고 있기 때문에
오히려 경쟁적인 측면에서는 어려울 수가 있다고 생각해요.

그런데 반대로 '어려운 환경'은 힘들기도 하지만,
남들이 잘 뛰어들지 않는 부분이기 때문에, 어떻게 생각하면
오히려 성공하기가 쉬운, 그런 면도 있는 것 같아요.

'당연한 것은 온다.'는 경험을 가지고 있어요."

– 로엔 엔터테인먼트 신원수 대표님과의 대화 중에서

80

우리가 꿈을 향해 나아가는 첫걸음을
'도전'이라고 표현하는 이유는
그만큼 그 시작에 용기가 필요하기 때문입니다.

그대여 울지 말아요.
원래부터 그렇게 쉬운 일이 아니었다는 거
잘 알고 있었잖아요.

81

청춘은 늘 지하미로에 있다.
이렇게 아무것도 보이지 않는 캄캄한 지하미로에서
크게 다치고 싶어 환장한 사람이 아닌 이상
걱정 없이 막 뛰어다닐 수 있는 청춘은 없으며,
또한 이 지하미로에 '연륜'이라는 등불을 들고
들어갈 수 있는 청춘도 역시 없다.

어쩔 수 없으니 어서 캄캄한 어둠 사이로 손을 뻗어보라.
그리고 주변을 휘저어가며 한발 한발 조심히 나아가보라.
확신을 가져라. 반드시 이 미로를 탈출할 수 있다는 확신을.

82

원래 너무 많은 책을 한꺼번에 들고 가려고 하면
무거운 건 당연하잖아요. 급할 것 없어요.
여러 번 날라도 괜찮으니까, 다 내려놓고 천천히 나르세요.

생각이 너무 깊어지면, 우리 그렇게 다 내려놓는 겁니다.

83

성악가의 노래는 광대뼈에서 공명을 얻습니다.
수행자의 노래는 명상 속에서 공명을 얻습니다.
혁명가의 노래는 새로움에서 공명을 얻습니다.

하지만,
청춘의 노래는 실패와 좌절에서 공명을 얻더군요.

84

고난을 견디는 것이 힘들다면
수십 년 동안 세상의 고난을 견뎌가며
꿋꿋이 살아오신 부모님을 보세요.

만일 그래도 견디기 힘들다면
수천 년을 걸쳐 세상의 풍파를 견뎌가며
불멸해온 돌멩이를 보세요.

제 경우엔 돌멩이보다 못한 이는
되지 않고 싶다는 생각이 들었거든요.

85

참 우스운 사실이지요.
우리는 항상 변화에 대한 의지를 다짐하건만,

결국 변하는 것은
'변화에 대한 의지'만 변하더라는 것이.

86

태풍느님.

비닐하우스를 찢고 가는 건 그렇다고 치더라도,

농부 아저씨들의 마음은 왜 찢고 가시나요.

그것은 서리하는 아이들도 하지 않는 짓인데 말입니다.

87

진혁 : 앞으로 어찌 살아야 할까 걱정이 많다….

친구 C : 뭐가 그리 걱정이고~

그런 걱정 안 하고 사는 애들 태반이다.

우리는 금마들 보다 '반 이상 했다' 생각하모 된다 고마. ㅋㅋ

진혁 : !!!

88

도전했던 꿈을 접고 다른 길로 돌아선 이들에게

명심하세요. 당신의 선택은 한계에 좌절한 것이라기보다는,

새로운 방법으로 행복을 찾아 나선 것에 지나지 않는다는 것을.

89

좌절은 손해도 아니고 본전도 아닙니다.

당신이 좌절한 그 자리엔 삶의 지혜가 남아있을 테니까요.

90

내 꿈이 물거품이 되었다고 해서

내 인생까지 물거품이 된 것은 아닙니다.

어쩌면 그동안 마법에 들어,

꿈과 인생을 동일시해온 것은 아니었을까요?

그렇다면 어서 깨어나요.

당신의 인생은 아직 끝나지 않았고,

당신은 다시 꿈꿀 수 있습니다.

91

어떤 사람들의 말처럼,

사람이라는 것이 그렇게 쉽게 변하지는 않습니다.

그렇다고 사람이 변하는 것이

하루아침의 '기적'으로 이루어지는 것도 아닙니다.

'용기'가 필요한 거예요.

92

"시간이 약이다."

약은 약인데, 처방 약이라기보다는

효과적인 진통제 정도에 불과한 경우가 더 많습니다.

93

찢어지게 가난해서 옷을 백번을 넘게 기워 입었다 하여
'백결선생'이라는 이름이 붙었다는
그분의 인생처럼 살다 가더라도 괜찮겠다 싶었습니다.

다행히도 그분의 인생에도 '굶어 죽었다'는 기록은 없으니까요.

94

"'을'이라서 서럽다."

병이나 정이 아닌 것만으로도 감사한 일입니다.

95

"세월은 계속 흘러가는데 생활은 아무것도 변하는 게 없다."

세월이 흘러가는데, 생활이 더 나빠지지 않는 것만 해도 감사한 일입니다.

96

친구야. 슬퍼함도 분노함도
긍정의 칼날로 모두 갈아버리자.

믹스기로 갈아서 날린 먼지보다
더 작게 갈아서 모두 날려버리자.

97

대학을 타이트하게 졸업한 것을
별로 다행이라고까지 생각해 본 적은 없었습니다.
그러나 졸업하고 몇 달 뒤, 한 교수님께서 페이스북에

"중간고사 점수를 학교, 학번, 이름과 함께
페이스북에 공개하면 기말고사 점수가 팍팍 오르겠지?
그치 애들아?! ^^"

라는 간담이 서늘한 농담을 써놓으신 것을 보고는
곧바로 진작에 졸업한 이 순간을 다행으로 여기게 되었습니다.

아, 놀라운 스승의 은혜여! 덜덜.

98

운동을 나가야 할 시간인데,
어떤 이가 남긴 책 한 권이 내 마음을 붙잡고 있습니다.

두뇌는 득을 보고 있지만, 육체는 그만큼 손해를 보는 중입니다.
이거 어떡하면 좋나요.

99

'음악에는 사랑이 있어야 그 곡을 표현할 수 있다.
그리고 사랑에는 긴장이 있어야 마음이 설렌다.

무대에 섰을 때, 내가 긴장하고 있다는 것은
내가 사랑하는 음악을 더 잘 보여주고 싶다는 생각에
설레고 있기 때문이다. 사랑하는 것에 설렌다는 것은
당연한 거다. 걱정하지 말고 노래하자.'

음대를 다녔던 지난 시절, 저는 연주회를 가질 때마다
무대에 서기 전에 나 자신을 이렇게 진정시켰습니다.

100

대개 '혼란'이라는 것은 믿어왔던 환상이
깨지기 시작하면서부터 비롯되는 경우가 많은데,
이때 우리에게 필요한 것은 다른 것보단
'원래 그런 거야'라고 쿨하게 넘어갈 수 있는 지혜가 아닐까요.

101

여러분은 눈에 보이지는 않으면서 느껴만 지는 바람이,
또 눈에 보이기는 하지만 형체는 없는 물이
잘못된 존재라는 생각을 해보신 적이 있나요?
바람은 바람인 거고, 물은 물인 거잖아요. 원래 그런 거예요.

102

현실에서 살아가기 위해
현실에 굴복하거나 현실에 복종하는 것이 아닌,

현실에서 살아가기 위해
현실을 이해하고 현실을 사랑할 줄 아는 자세요.

이제는 나를 위해서라도 필요한
나와 세상에 관한 성찰.

103

인간은 완벽할 수 없는 존재라고 생각해요.
그러니 누구나 완벽하게 해낼 순 없어요.
'그냥 하는 거'예요.

알고 보면,
그것은 그렇게 어려운 일이 아닐지도 모릅니다.

104

밤이 되어서야 반딧불이가 빛을 내고 있음을 알 수 있고,

어둠이 존재해야 우리의 가슴속에도 빛을 지니고 있다는 사실을
알 수 있다.

지금 서 있는 곳의 어둠이 깊으면 깊을수록 더욱 빛날 것이다.

두려워하지 말고 온몸을 태워 빛을 발하라.

105

'되었다'는 '안 되었다'의 과정이 아니지만,

'안 되었다'는 '되었다'의 어느 과정입니다.

106

심장이 쿵쿵거리는 건 불안해서 뛰는 걸까요.

아니면 설레어서 뛰는 걸까요.

어쩌면 그것은 생각하기 나름일지도 모릅니다.

107

작은 아픔을 죽을 만큼 큰일이라고 생각하면
정말 죽을 만큼 힘들어지게 됩니다.
반대로 큰 고통을 별것 아닌 일이라고 생각하면
당장은 아니더라도 정말로 곧 별것도 아닌 것처럼 지워집니다.

사람 일은 마음먹기 나름이라는 말, 그래서 존재하는 거예요.

108

다이아몬드가 단단한 진짜 이유는 원래부터 상처투성이였기 때문
에 더 이상 상처받지 않고 싶어서는 아닐까?

109

"아, 모르겠다. 어떻게든 되겠지…."

그래요. 어떻게든 되긴 될 겁니다.
좋지 않은 방향으로 흘러가는 일을 그대로 두면
결국 가장 나쁜 방향으로 어떻게든 되겠지요.

110

"'어떻게든 되겠지…'라고 생각해서
그대로 내버려뒀더니 안 되더라고.

그래서 바꿨어. '어떻게든 하자!'로."

– 친구 W와의 대화 중에서

111

남에게 위로를 얻기 위해 열변을 토하는 데 시간을 쓰는 것보다 스스로 일어서기 위해 행동하는 데 시간을 쓰는 것이 몇 배는 더 바람직합니다.

112

새벽까지 잠이 오지 않아서 거실로 나왔다가
문득 부모님 방으로 가서 살포시 문을 열고는
곤히 주무시고 계신 부모님의 모습을 보았습니다.

거기서 내가 잠이 오지 않는 이유를 알았지요.
나는 잠이 올 만큼 피곤하게 일하지 않았던 겁니다.

113

가끔 철학을 '유치한 말장난' 정도로
생각하시는 분들을 보게 되는 경우가 있습니다.

제가 철학자는 아니지만 그때마다
그분들도 누군가가 지어둔 그 '유치한 말장난'들로
신념을 세우고 좌우명으로 삼지는 않으셨는지 궁금해지곤 합니다.

114

하루에도 몇 개의 드라마가 눈앞에서 벌어지는
우리의 인생이야말로 정말 리얼 시트콤 아닐까요?

115

잠에서 일어나 부스스한 눈으로 창밖을 내다보니
아침 햇살이 싱그러워 이내 기분이 좋아졌습니다.
아무리 우리 삶이 각박하고 힘들더라도
이 정도면 제법 괜찮은 아침 아닐까요?

내님들 모두 좋은 아침입니다.

116

부디 어떠한 경우에도
꼭 선한 사람으로 살아가고 싶습니다.

나도 당신도 그랬으면 좋겠습니다.

117

돈을 번 다음에야 행복을 벌 수 있을 거라고 생각했던 때가 있었습니다. 어리석다는 것을 잘 알지만, 지금도 앞이 보이지 않는 삶의 불안 속에서 미처 손에서 버리지 못한 그 미신주머니를 한 번씩 열어 볼 때가 많습니다. 아직 참다운 행복이 무엇인지를 잘 몰라서 이런 행동을 하는가 봅니다. 아, 저 진리의 좁은 길을 지나갈 수만 있다면!

118

잊지 맙시다.
아프니까 청춘이기도 하겠지만,
아름다우니까 청춘이기도 하다는 거.

고졸에서 9급 공무원으로 출발하여
고위 공무원까지 오르셨던 분을 찾아뵌 적이 있었습니다.
고민하다가 조심스레 실명을 씁니다.

문화체육관광부에서 감사관을 지내고 계신 김용삼 선생님께
'이제라도 대학에 가고 싶다는 생각이 드신 적은 없으셨는지'
를 여쭈었습니다. 이렇게 대답을 주시더군요.

"대학에 가고 싶다기보다는,
계속 공부를 할 곳이 있으면 좋겠다는 생각이 들어요.

세상에는 좋은 대학을 나온 사람들이 많아요. 하지만
그들이 갈 수 없는 빈틈의 여지는 있다고 생각했어요.

그런데 입사하기 전에 뭘 했다는 것을 보여야 하다 보니
스펙을 쌓아야 하는 거잖아요. 그러면 해야지.

단, 남들이 안 가는 길로."

&

"한 가지 진리가 있어요.
뭔 줄 알아요?

힘든 일이 지나면,
반드시 좋은 일이 온다는 거."

– 김용삼 선생님과의 대화 중에서

그 언젠가 우리는 '꿈'을 이야기했다.

요즘 우리는 '꿈'보다는 '목표'라는 단어를
더 자주 이야기하기 시작한다.

아마 조금 더 지나면 우리는 '목표'보다는
'내일 할 일'을 이야기하게 될 것이고,

또 어느새 우리는 '내일 할 일'보다는
'하루하루의 건강'을 이야기하게 되겠지.

혹시 이 변화를 실감하는 것을
'인생'이라고 말하는 것은 아닐까.

절대로 포기하지 마세요.
당신은 그렇게 유야무야 살아선 안 되는 사람입니다.

121

'단지 내 훗날을 보고 싶어서.'

이것 하나만으로도 우리가 살아갈 이유는 충분합니다.

122

참 아름답지 않습니까.
비록 상처를 견디는 동안 많은 흉터가 생겼지만,
그곳에 가시가 돋지 않고 꽃이 폈으니 말입니다.

123

인생이 20부작짜리 미니시리즈인가요?

대하드라마보다 더 긴 우리의 인생입니다.
너무 조급해하지 말자구요.

무료한 삶

삶이 무료하다
그래, 유료는 아니지

하지만 삶은 무료라서
값을 매길 수가 없지

삶이 무료하다고
시간을 삶아 먹으면

값을 매길 수가 없는
내 삶에 무례한 일이지

돌멩이

뜨거운 여름날엔 함께 뜨거워질 줄 알고

차가운 겨울날 역시 함께 차가워질 줄 알며

그렇게 자연에 공감할 줄 아는 위대한 너님 돌멩이여

하지만 나의 고통에는 아무런 반응이 없고

너에게 내 상처 따위쯤은 아무것도 아니므로

나의 아픔은 납득하지 못하는 야속한 너님 돌멩이여

결국은 너의 인내심을 보고 내가 공감해버렸고

사는 동안 삶의 풍파를 어떻게 견뎌왔느냐고 물었다

하지만 아무런 대답도 없는 건방진 너님 돌멩이여

변덕의 기도

내 어릴 적
하나님께 맨 처음 절실하게 드린 기도
'어른이 되게 해주세요'

대학을 졸업 후
하나님께 맨 처음 절실하게 드린 기도
'시간을 되돌려주세요'

변덕스러운 자녀의
고집스러운 기도를 들은
당신은 어떤 표정을 하고 계실까

문득 나는
부끄러운 마음에 차마
하늘을 올려볼 수 없었다

그냥

그냥 울적해진 당신은
그냥 웃을 수도 있습니다

그냥 짜증이 난 당신은
그냥 웃을 수도 있습니다

그냥 거울을 보고 한번 웃어보세요
그냥 그 모습에 낯설어하지 말아요

버릴 수 없는 것

너와 함께 손잡고 거닐던 이 길에
나 혼자 서서 멍하니 미소 짓고 있다
이제는 너와 걷지 못할 이 길에서
꿈만 같았던 그때를 떠올린다

헤어진 널 떠올리는 게 너무 괴로워
널 추억할만한 모든 물건을 버렸지만
버리거나 어떡할 수 없는 이 길에서
원치 않게도 너와의 일들을 추억한다

버리지 못했던 게 하나 더 있었다
내 지갑 속에 들어있는 빛바랜 네 사진
나 때문에 눈물만 흘리고 떠난 네가
언제나 내게 미소를 건네고 있었거든

제3장

옆모습

그대와 사랑의 독백

책을 읽다가 마음에 드는 구절을 만나면,

나중에 또다시 읽고 싶어서

밑줄을 긋고는 페이지를 꼬옥 접어두는 편인데,

가끔은 그런 구절도 있다.

좋은 구절을 봤는데 그게 너무 좋은 구절이라서 왠지

밑줄을 긋거나 구겨서 망가뜨리면 안 될 것만 같은 그런 구절.

사람을 만날 때도 그런 것 같다.
좋은 사람이라는 생각이 들면 친구가 되기 위해
먼저 손 내밀고 더 많이 다가가는 편인데,

아주 드물게는 그런 사람도 있다.
마음에 드는 사람을 만났는데 너무 좋은 나머지
다가가는 것도, 말 한번 붙여보는 것도
왠지 모르게 어렵게만 느껴지는 그런 사람.

사랑하고 싶었는데

버스에서 내리자마자 비를 맞았다. 비가 쏟아지고 있었던 것이다.
문득 비만 오면 늘 우울함에 빠지곤 했던 그대가 생각이 났다. 잊을
만하면 그대 생각이 나는 연유는 잊을 만하면 비가 내렸기 때문이다.
서둘러 비를 피하고서 잠시 멍하니 길가를 바라보니 비는 내가 실연
당했던 그날 내 마음속에 쏟아졌던 비와 똑같은 양으로 쏟아지는 것
같았다.

상처가 두려워 이별이 두려웠고, 이별이 두려워 누군가를 사랑하
는 것도 함께 두려웠던 지난 시간, 어느 날 심장은 내 의향도 묻지 않
고 일방적으로 누군가를 향해 반응하고 있었다. 사실 상처가 두려우
면 사랑하지 않는 사람과 사랑하면 되는 것이었고, 이별이 두려우면

연애를 하지 않으면 되는 것이었다. 그러면 상처받을 일도 없다. 그리고 이별을 맛볼 일도 없다.

인간은 사랑의 결말이 언제나 이별이라는 것을, 고로 사랑이 영원하지 않다는 것을 잘 알고 있다. 그러나 우리 모두는 진실한 사랑 앞이라면 언제나 사랑의 영원을 바라며, 때문에 영원할 것처럼 서로를 사랑해왔다. 적어도 사랑하는 그 순간만큼은 영원을 영원처럼 굳게 믿는다. 그런데 그토록 사랑했던 사람과 이별하는데 상처 없을 사람이 세상에 어디 있으랴.

그럼에도 불구하고 다시 만날 수 없는 이에게 우리가 줄 수 있는 가장 좋은 선물은 언제나 그런 것인가 보다. 내가 그 사람을 확실하게 잡을 수 있는 것이 아니라면, 혹은 그 사람이 내게 다시 노크해줄 수 있는 것 역시 아니라면, 과감하게 잊어주는 거.

누군가가 그랬다. 최선을 다했던 사랑이라면 더 해줄 것이 없으므로 다시 돌아볼 이유가 없는 거라고. 하지만 내 머릿속에 이따금씩 그대가 생각나는 까닭이 그때 내가 최선을 다하지 않았기 때문은 아닐 것이다. 우리는 누구나 진정으로 사랑하는 사람 앞에서 늘 최선을 선택하며, 설령 항상 최선은 아니라고 할지라도 사랑의 첫 시작만큼은 분명 최선이기 때문이다. 물론 다시 시간을 거슬러 돌아갈 수 있다면 지난 시간보다 좀 더 자신감 있는 모습으로 그대를 대할 수 있었을지도 모르겠으나, 당시에서만큼은 내 안의 바리케이드를 넘어 그대를 만나려고 나름대로 온갖 발버둥을 쳤었다. 다만 그대를 만나러 가던 그날의 기억을 떠올리는 습관이 아직 남아있는가 보다.

여인의 생일은 내가 글을 쓰기 좋아하던 가을 무렵에 있었고, 내 생일은 새해가 조금 지난, 겨울의 끝자락에 있었다. 어쩌면 그대를 만나러 가는 길은 계절을 순서대로 걸어가는 것보다 계절을 거슬러 돌아가는 것이 더 빨랐는지도 모르며, 그대와 나의 간격 역시도 한 해 속의 몇 달 사이보다는 한 해와 지난해 사이가 더 가까웠는지도 모른다. 그러나 이제 계절을 거슬러 가는 길은 더 이상 그대를 만나러 가는 길이 아니라 쓸데없는 미련을 만나는 길로 바뀌어버렸다. 그래, 잊어줘야지.

모름지기 남자와 여자가 만나는 것은 헤어지기 위해서가 아니라, 사랑하기 위해서 만나는 것이다. 하지만 사랑은 '집착'하는 것이 아니라 '집중'하는 것이므로, 상대방이 자신에게 집중할 수 있는 기회를 나에게 허락해주지 않는다면 혼자 집착해선 안 되는 일이다. 그래, 잊어줘야 한다. 그게 상처 주는 걸 싫어했던 그대를 위해서도 예의이고, 상처 난 가슴을 움켜쥐고 있는 나 자신에게도 예의라는 생각이 들었다. 확실하게도 그대라는 아름다움을 보지 못하게 된다는 것은 내게 있어 정말로 큰 두려움이었지만, 상처에 총알이 박혔다면 당장은 크게 아프다 하더라도 빼내는 것이 맞지 않는가.

시곗바늘이 내 감정을 따갑게 베어 가며 지나가는 시각, 허나 망각이 가능하도록 계속 흘러가고 있다는 것만으로도 어찌나 감사한 일인지 모른다. 이렇게 보면 망각도 시간에게서 그냥 공짜로 얻어지는 것은 아닌가 보다. 이거 참 힘겨운 시각인데도 고놈의 비는 아직도 멈추지 않고 쏟아져서는 세상을 아스라이 보이도록 하고서 그대를 이토록 선명히 상기시키고 있다.

그대를 사랑하고 싶었는데. 이렇게 추억하고 싶었던 게 아니었는데.

그때 내 일기장의 여주인공에게

1

당신을 처음 만난 그때의 기분을
'큐피드의 화살을 맞은 기분이었다.'는 표현보다
더 정확하게 표현할 수 있는 방법이 없습니다.

2

외로움과 외로움이 만나면 사랑이 된다는 것.
수학으로는 도저히 풀리지 않는
참으로 신기하고 이상한 공식입니다.

3

'혹시 네가 알게 되면, 나와 멀어지게 되는 것은 아닐까.'
하는 생각에 덜컥 겁부터 났던 그때는 그랬다.

내 일기장조차도 믿지 못해서
널 좋아한다는 사실을 어디에도 털어놓지 못했다.

4

여자가 "나 삐쳤으니까 건들지 마!"라고 하는 말이,
"나 삐쳤으니까 빨리 풀어줘."라는 말인 줄 왜 진작 몰랐을까요.

그것만 알았어도 대학을 모태솔로로 졸업하지는 않았을 것을. 쩝!

5

세상의 모든 사랑에는 책임이 따르는 법입니다. 애완견을 키웠으면 유기견으로 만들지 말아야 한다는 책임이, 결혼을 했으면 자식을 위해서라도 잘 살아야 한다는 책임이 따르듯, 연애에도 상대방에 대한 예의를 지켜줘야 한다는 책임이 따릅니다.

신은 결코 당신의 한순간 쾌락을 위해서 사랑을 만든 것이 아니에요.

6

"스무 살 이래, 밸런타인데이 최악의 성적이야."

이봐, 친구. 그런데 학점은?

7

한번은 여자친구를 80명이나 갈아치웠다고
떠들고 다니는 남자와 대화를 나눈 적이 있었습니다.

"왜 그러고 다니세요?"

"젊을 땐 많이 만나봐야죠.
그리고 제가 감수성이 풍부한 편이라서 더 그런가 봐요."

혹시 감수성이 풍부해서가 아니라,
정력이 풍부해서 그런 것은 아니었을까요.

8

여자를 '하늘의 별처럼 널리고 널렸다.'는 생각으로 가벼이 여기지
마세요. 아마 그랬다간 세상 모든 여자가 당신에게서 하늘의 별처럼
멀어질지 모릅니다.

9

여자의 마음을 라이터같이 간단하게 불 지를 수 있는 남자들이 있습니다. 그러나 원시시대처럼 나무판에 막대기를 돌리는 노력으로 겨우 불을 지피는 남자들도 있습니다. 그런데 한 가지 중요한 사실은 힘들게 지핀 그 불이 지펴지면 라이터불보다 더 오래간다는 거.

10

내가 건네는 인사에 다소
형식적으로 미소를 건네는 니 모습에도

나는 정신을 못 차리고 있다.

11

연애를 너무 안 한 사람도 결혼하기 어렵지만
연애를 너무 많이 한 사람도 결혼하기 어렵더라고 하더군요.
만났던 이성마다 좋았던 부분들의 합이
이성을 재는 잣대가 되어버렸더라고 합니다.

역시 뭐든지 적당한 것이 좋다는 것을 다시 한 번 실감합니다.

12

어디서 들은 말인지는 잘 기억이 나지 않는데,
사랑에 빠지면 모든 감각이 마비가 된다고 한다.

그렇다면 예쁜 여자가 못난 남자에게 시집을 간 이유도
여자의 분별감각이 마비되었기 때문일지도 모른다.

예쁜 여자는 훗날 자신이 속았다는 생각이 들지도 모르겠으나,
그렇다고 불공평하다고 말할 것은 또 없을지도 모른다.

만약 그 남자도 분별감각의 마비 탓에
그 여자의 화장발에 속아서 결혼했다면…

13

"골키퍼 있다고 골 안 들어간다는 법은 없다."

하지만 골 한번 들어갔다고 해서
골키퍼가 교체되는 경우도 별로 없습니다.

14

몇 발자국 이상이나 떨어져 있는 당신에게도 소중한 여자라면
바로 옆에 있는 그 남자에게도 소중한 여자입니다.

15

연인이 생긴 뒤로 수업이나 동아리 활동에 불참하면서까지 연애에
몰두하는 새내기 후배들을 보면서 걱정하는 시선들이나, 한심하게 보
는 시선들이 많은 것을 알고 있습니다. 그러나 4년 내내 솔로로 대학
을 졸업했던 저로선 그들을 보면 사실 그런 감정들보다는 부러움이
먼저 앞서더군요.

그만한 추억이라면 새내기 시절의 학점 정도와는 충분히 바꿀만한
가치가 있지 않을까 하는 생각이 들어서요. 적어도 그들은 나중에 '좀
더 사랑해주지 못한 것에 대한 후회'는 가지지 않을 테니까 말이에요.

16

"사랑을 하며 산다는 건 생각을 하며 산다는 것보다
더 큰 삶에의 의미를 지니리라"

스승의 날이 왔습니다. 교내 신문방송국에 몸담고 있었을 당시 지
도교수님으로 계셨던 한 교수님께 전화를 드리려고 하다가 문득 보게
된 교수님의 카카오톡 알림말에는 서정윤 시인의 '의미'라는 시 중 한
구절이 쓰여 있었습니다. 기억을 더듬어보니 제가 대학을 다닐 적에
부터 저 말이 쓰여 있었던 것 같습니다.

하지만 그럼에도 불구하고 저는 모태솔로로 대학을 졸업했으니, 저
는 스승의 가르침을 따르지 않은 못된 제자였던 것입니다.

17

연애를 해본 적이 없는 대학생활이었다고 해서
사랑했던 사람조차 없었던 대학생활은 아니었는데 말입니다.

18

부산 앞바다도 아름답고, 여수 앞바다도 아름답지마는
내 눈에는 잘 나가는 사람들만 올 수 있다는 삼천포 앞바다가
가장 아름답습니다.

이 여인도 아름답고, 저 여인도 아름답지마는
내 눈에는 세상 그 어떤 누구보다도 그대가
가장 아름답습니다.

19

네가 보고 싶은 이유는 3박 4일간 밤을 새워도 모자랄 만큼 많은
이유를 말할 수 있었는데, 정작 내가 사는 이유는 단 5분도 이야기하
지 못했던 내 쓸쓸한 지난 시절이여.

20

'사랑합니다.'를

영어로 뭐라고 하나요? I love you. (아이 러브 유)

독일어로는 뭐라고 하나요? Ich liebe dich. (이히 리베 디히)

이탈리아어로는 뭐라고 하나요? Ti amo. (띠 아모)

불어로는 뭐라고 하나요? Je t'aime. (쥬 뗌므)

중국어로는 뭐라고 하나요? 我爱你. (워 아이 니)

일본어로는 뭐라고 하나요? あいしてる. (아이시떼루)

또 다른 나라 말은 없나요?

무수히도 많지만,

사실 그것은 말로만 표현하는 것이 아닙니다.

21

간혹 그런 사람들을 만납니다.

상투적이거나 모호한 느낌을 좋아하지 않아서

감정에 대해 이야기하는 것을 싫어하는 사람들을.

그런데 아이러니한 사실은

그들의 가슴에도 사랑이라는 것이 존재한다는 겁니다.

22

"사랑이 취직시켜주느냐!"며 코웃음 치는 이가 있다면,

감성조차 메마른 그 불쌍한 영혼에 대고 딱히 드릴 말은 없겠습니다.

23

강요는 결코 사랑을 불러올 수 없습니다.

오히려 고발을 불러올지도 모르오니 그대 조심하소서.

24

순도 100%의 진심으로도 사랑하는 이의 마음을 얻을 수 있을까 말까인데 거짓으로 무장해서 어떻게 그 사람의 마음을 얻는 데 성공할 수 있겠습니까. 혹시 성공했다고 착각하는 순간도 있을지 모르겠습니다마는, 아니었다는 것을 깨닫는 순간도 그렇게 머지는 않을 겁니다.

25

함부로 다가가지 못할 것 같던 가시나무에도
봄이라고 아름다운 꽃이 폈습니다.

누구에게 사랑받고 싶어서 핀 걸까요.

26

그대를 좋아하면서 자존심이 구겨지고 상처받는 것쯤이야 시간이
해결해준다 치더라도, 그대를 좋아하면서 난 사랑니는 병원을 가지
않으면 나을 수가 없으니 이 일을 어떡할 겁니까.

레알 아파죽겠으니까, 둘 다 조속히 책임져주시길 바랍니다.

27

제발 오길 바라는 당신의 연락은 오지 않는데 신경도 안 쓰는 모
캐피탈 김 팀장님의 연락만 줄기차게 오는군요. 뗴이싯!

28

가끔은 내 몸이 두 개였으면 좋겠다는 생각을 해봅니다.
그러면 두 개의 머리로 더 많은 아이디어를 낼 수 있을 텐데,
그러면 두 개의 신체로 더 많은 일들을 해낼 수 있을 텐데,
그러면 하나의 심장이 그대 때문에 정신을 못 차리더라도
다른 하나의 심장으로 침착하게 냉정을 되찾을 수 있을 텐데.

29

"오빠. 세상에 완벽한 남자는 존재할까요?"

감히 말씀드리는데 없습니다.
혹시 있다고 하더라도 기대하지 마세요.
저 같은 남자들만 힘들어지니까요.

30

"사나이가 자신이 뱉은 말에 책임을 지는 것은
대단히 좋은 것이라 생각합니다. 그런데 만약 당신에게
자신이 뱉은 말과, 자신이 사랑하는 사람 둘 중에
평생 하나만 책임질 수 있다고 한다면
당신은 어느 쪽을 책임지실 건가요."

"저는 제가 내뱉은 말을 책임지겠습니다.
내가 사랑하는 사람에게 책임진다고 말하고
평생 그 약속 지키면 되는 것 아니겠습니까."

대학 시절 철없이 수업에 빠지고 놀러나 다녔던 내 후배 Y.
제가 한 수 배운 걸 보니 많이 컸네요. 선배로서 참 뿌듯합니다.

31

아아,
무더운 여름과 추운 겨울을 헤치고 많은 사람들을 만나 왔으나,
정작 보고 싶은 그대를 만날 수 있는 길은 없습니다.

32

애석하게도 세상에 진심을 구별하는 방법 같은 건 없어요.

상대방이 하는 말이 아무리 진심이라 하더라도

와 닿지 않아서 믿지 못하겠다면 어쩔 수 없어요.

진짜 진심이라면, 언젠가는 돌아보게 되겠지요.

미안합니다.

33

창 너머로 비가 내리고 있는 것을 보았습니다.

문득, 비만 오면 꼭 우울함을 타던 그대 생각이 났습니다.

'이젠 당신을 묻겠노라'며 깊게 파두었던 내 가슴은

어느새 그리움만 가득 고인 서러운 웅덩이가 되어버렸습니다.

34

"오빠 페이스북 보고 왔어용. ㅋㅋㅋㅋ
아직도 짝사랑 중인 티를 '팍팍!' 내시네용. ㅋㅋ"

"문제는 그 여자는 내가 자신을 좋아하는지 몰라. ㅋㅋ"

"그렇게 혼자 좋아하니까 짝사랑이지...!"

"어쩔 수 없잖아. ㅋㅋ"

"하여튼 참, 그런 글은 오빠 타임라인에다가 쓰는 게 아니라
그 여자 타임라인에다가 쓰는 거예요!"

35

나도 한번 섭섭하고 삐치면
건전지 못지않은 지속능력을 자랑하게 되더군요.

"알고 보면 사랑은 언제나 삼각관계야.
서로 마주 보고 가는 경우가 잘 없어.
그건 결혼해서도 마찬가지야."

"선생님, 그게 왜 그런 건가요?"

"기독교에서는 사람이 신의 형상을 닮아서 만들어졌다고 하잖아.
'사람의 사랑'도 '신의 사랑'을 닮아 있는 것 아닐까?"

"좀 더 자세한 설명이 필요해요."

"이런 건 사실적 진실이라기보다는 시적 진실인데,
우리는 신께서 사랑하시는 존재잖아. 그런데 우리는
신이 아닌 다른 이성을 바라보고 있는 것 같이 말이야."

– 시인 나태주 선생님과의 대화 중에서

36

해바라기는 해가 동쪽으로 떠서 서쪽으로 질 때까지
해가 떠 있는 방향만 따라가다가
밤이 되면 다시 동쪽으로 고개를 돌려둔다.

거기, 그러다 지쳐 고개 숙인 해바라기야.
아직도 해가 널 사랑해주지 않는 것만 원망하고 있느냐.
너만 바라보다가 차갑게 얼어붙어 버린
저 달은 보이지도 않는 것이더냐.

37

맞아요. 꿈과 사랑은 여러모로 닮은 구석이 많습니다.
생각만 해도 행복해지는 것과
이루면 날아갈 것만 같은 기분이 드는 것도 닮았습니다.

그런데 멀어졌을 때 받게 되는 고통의 크기까지도 닮았더군요.

38

그래도 가슴앓이는 설렐 때나 하는 게 가장 영양가 있습니다.

39

사람은 자신이 가지지 못한 것에 설레며

그것을 자신이 가졌을 때엔 더 이상

설렘을 느끼지 않는다고 하는데,

그렇다면 사랑하는 사람에게

더 이상 설레지 않는다는 것은

상대방에 대한 사랑이 식은 것이 아니라,

볼 때마다 설레던 상대방이 드디어

완전한 내 사랑이 되었기 때문이라고

여기는 것이 올바른 시각 아닐까요.

40

당신에게 연락하지 않겠다고 다짐했던 내가 이렇게 계속 폰을 잡
게 되는 것은 '절대로' 당신이 생각나서가 아니다. 단지 다른 스케줄
때문에 바빠서 그런 것일 뿐.

…이라고 하지만, 애석하게도 강한 부정은 긍정이라고 하더라.

41

당신은 당신이 사랑하는 그 사람을 놓고,

당신의 사랑은 진정한 사랑이라고 자신 있게 말할 수 있나요?

42

"나이를 먹으면 자존심이라는 게 함께 자라서,

누군가에게 선뜻 사과를 건넨다는 게 힘들어진대요."

그렇다면 나는 일찍부터

사랑하는 사람에게 사과하는 버릇을 들여야겠습니다.

43

사랑에 빠지면 항상 내가 상대방에게 주면 줄수록 상대방의 사랑
을 시험하고 싶어지는 열병과도 같은 이상한 습관이 생긴다.

44

그리스로마신화 이야기에는

큐피드의 금 화살을 맞은 사람은 사랑에 빠지지만,

큐피드의 납 화살을 맞은 사람은 미움에 빠지게 된다고 한다.

그러면 큐피드야.

나에게만 금 화살을 날린 것까진 원망하지 않을 테니,

부디 그녀에게 납 화살을 날리지만 말아다오.

45

'이상형'이란, 머릿속에 그려져 있는 이상적인 이성을 뜻하는 단어
가 아닌, 머릿속의 그 이상적인 이성이 생각나지 않게 하는 이성을 뜻
하는 단어가 아닐까.

46

어찌합니까 시리즈1

지금 당신이 남몰래 사랑하는 그 사람은
창가에 묻은 먼지인가요.
아니면 창가에 새겨진 그림인가요.

전자의 경우엔 마음만 먹으면
한 번만 문질러도 금방 지울 수 있다지만
후자의 경우면 문지를수록 지워지기는커녕
오히려 더 선명해지고 빛이 날 텐데
이를 어찌합니까.

47

어찌합니까 시리즈2

아무리 남녀 사이에 어떤 대가를 기대하면
그것이 사랑이 아니라 거래가 된다고 하지만,
내게 그대의 마음만큼은 어떡해서라도 얻고 싶을 만큼
거래할 가치가 있는 욕심나는 것인데 이를 어찌합니까.

48

어찌합니까 시리즈3

"어찌~ 합~니까아~"

…들으라고 만든 명곡을 부르고 만 당신.
아무래도 당신이 사랑하는 그 여자에겐 불러주면
안 될 것 같은데 진짜 이를 어찌합니까.

49

당신이 말이 없을 땐 '1'이 사라지면 상처를 받았고,
또한 사라지지 않아도 상처를 받았다. 까똑!

50

늘상 '할 말은 하고 살겠다!'라고 생각하는 저도
짝사랑하던 여인에게는 좋아한다는 말이 참 안 떨어지더군요.
제발 그 '할 말 하고 사는 용기'의 반만이라도
그런 쪽으로 가면 참 좋을 텐데 말입니다.

51

외로움을 감당하는 것은 의외로 어려운 일이 아닙니다.
그건 누구라도 만나면 해소되는 감정이니까요.

하지만 그리움을 감당하는 것은 정말 어려운 일이더군요.
그 사람이 아니고서야 해결될 수 없는 감정이라서.

52

언제나 그렇듯,
기다림이라는 건 늘 초조할 수밖에 없다.
그런데 그럴 수밖에 없었다.

그대가 올 것만 같은 상상이 자꾸만 들어서,
그게 단념보다도 최선인 줄로 알아서.

53

그때는 그랬었네.

이렇게 아름다운 그대에게 내가 해줄 수 있는 것이라곤

화려하지 않은 노래 몇 곡과 너만을 위해 쓴

작품성은 검증되지 않은 자작시 몇 수 읊어주는 것이

고작일 것 같아 감히 그대를 사랑할 수 없었던 것을.

나 자신도 지키기 버거웠던 그때의 나 자신 때문에

마음껏 그대를 사랑할 수 없었던 것을.

아, 진짜 그때는 그랬었네.

54

나에게 아무것도 없더라도 괜찮다. 단,

이왕이면 당신에게 줄 상처 역시도 없어야 한다.

55

그때는 미숙한 나에 비해 너무나 복잡했다.

인생을 얼마나 살았었겠느냐만

오히려 얼마 살지 않은 나이였으므로

사는 것의 모든 것이 다 복잡했고 힘들었다.

만약 내가 그렇게 복잡하지 않았더라면

모든 힘을 들여 그대를 좋아해 주었을 텐데….

56

사랑하는 사람이 자신을 받아주지 않는다고 해서

증오를 품는 사람은 상대방을 사랑했던 것이 아니라,

'날 사랑해주지 않으면 널 싫어할 거야'라는

투정 혹은 협박을 해온 것에 지나지 않습니다.

57

남자의 첫사랑은 첫사랑이자 인생의 큰 상처이고 좌절이다.

하지만 남자는 다시 또 그런 사랑을 하고 싶어 한다.

― 친구 H의 이야기

58

남자들 사이에서 인정받는 남자가 '진짜 남자'예요.

여자들 사이에서 말하는 진짜 남자는 그래요.

— 후배 B와의 대화 중에서

59

짝사랑에 실연당한 이들에게

큰 소리로 따라 읽어보세요.

"내가 그 사람 때문에 마음 졸이며 힘들어했던 것에 불평하기보다는, 내가 그 사람에게 집착이라는 감정이 생겨 힘들게 만들었던 일은 없었던 것을 다행으로 여기며, 내게 설렘을 안겨줬던 그 사람에게 진정으로 감사하길 원합니다."

60

당신이 어떤 일을 겪었든

부디 잊지 말길 바라는 문장이 있다면

'진심은 통한다'는 말.

61

문제 하나.
어떤 남자가 한 여인을 작업하느라
열심히 '밀당(밀고 당기기)'을 하고 있다.

쭉 앞으로 들이밀어 왔던 남자가
이번에는 서서히 뒤로 당겨보는데
그 여자가 자존심이 상해서
자신도 뒤로 당겨버렸다.

고무줄과 같은 두 사람 사이에 예상되는 결과는?

62

너와의 싸움은 잦은 충돌,
너와의 사랑은 잦은 충동.

63

누군가
'사랑은 덜 사랑하는 쪽이 유리한 경기'라고 말했습니다.

이 말을 믿지 마세요.
혹여 둘 중에 누가 덜 사랑 하는지 경쟁하기 시작하면
그 사랑이 끝나는 것은 시간문제니까요.

누가 뭐래도 사랑은
서로가 서로보다 더 사랑해주는 방식의 경기여야 합니다.

64

아무리 덜 사랑하는 쪽이 유리하다고 한들,
사랑받고 싶은 사람이 사랑을 받는 최선의 방법은
'사랑을 주는 것' 외엔 달리 방법이 없습니다.

65

사랑에 빠지는 데는 내 노력이 들어가지 않지만
사랑을 받는 데는 내 노력이 필요합니다.

사랑은 서로가 그렇게 노력할 때 아름다움을 발합니다.

66

"사랑이 사라지고 연애만 남은 청춘만큼이나
슬픈 청춘이 또 있을까요?"

"연애가 사라지고 사랑만 남은 청춘도
그만큼은 슬픈 청춘 아닐까요?"

67

너란 여자는 폭탄 같은 여자다.
내 심장을 터지게 하는 폭탄.

잠깐,
거기 미팅 나오신 폭탄님하 말고여!!!!!

68

"아내들아 이와 같이 자기 남편에게 순종하라.

이는 혹 말씀을 순종하지 않는 자라도 말로 말미암지 않고

그 아내의 행실로 말미암아 구원을 받게 하려 함이니."

– 베드로 전서 3:1 중에서

기독교적으로 말하면 '순종'은 가장 어려운 것인 동시에 가장 지혜로운 것이기도 한데, 성경에서 여자더러 남자에게 순종하라고 가르쳤던 것을 보면, 아무래도 남자보다는 여자가 더 인내심이 강하고 지혜로운 것 같습니다.

69

세상이 1등만 기억한다고 해서 세상의 1등이 되겠다고

부단히도 애쓸 필요까지는 없다고 생각합니다.

그냥,

훗날 내 옆에 있을 내 사람에게만 1등이면 괜찮지 않을까요.

"서 대표님은 왜 사업을 하고 싶어 하셨나요?"

"돈을 잘 벌기 위해서죠."

"그 돈 어디에다가 쓰실 생각이신데요?"

"좋아한다는 것과 사랑한다는 것은 좀 다른 것 같아요.
좋아하는 것은 그냥 마음만 좋아하면 되지만,
사랑하는 것은 지켜줄 수 있어야 하거든요.
돈은 제가 사랑하는 것을 지키기 위한 그런 하나의 수단인 거죠."

– 청년기업가 서정진 대표와의 대화 중에서

70

대개 무엇인가를 가지려는 욕심이 생기면 그것을 지켜야겠다는 생각도 함께 든다는데 왜 사랑이라는 것은 상대를 가지려고 욕심을 부리면 부릴수록 지켜주겠다는 생각을 망각하게 되는 건지요.

71

여인이여,

"내가 어디가 좋아?", "날 얼마만큼 사랑해?"를 묻지 마세요.

분명 좋은 것에는 다 그만한 이유가 있겠으나, 살면서 그걸
언제나 일일이 파악하고 따져보고 사는 것은 아니잖아요.

그대에 대한 사랑은 계산도 없이 생겨난 엄청난 감정이므로
내가 좋아하는 만큼만 사랑을 주겠다고 생각해본 적도 없었으며,
내가 그대를 좋아하는 이유 역시 풀어서 설명하기가 난해합니다.

72

'암탉이 울면 집안이 망한다'라는 말이 있습니다.

우리 옛 선조들께선 지혜로운 분들이셨다고 알고 있는데, 이 속담
도 사실은 남존여비 사상이 강했던 그때에 남자더러 여자들 울리면
집안이 제대로 돌아가지 않는다는 의미로 만드신 우리 선조들의 지혜
는 아닐런지요.

73

"여자의 마음은 갈대와 같아."

하지만 이미 주저앉은 갈대는
바람이 불어도 더 이상 흔들리지 않아요.

74

어제는 바람의 박력에 갈대는 흔들리기도 전에 쓰러졌고, 다른 것
들조차도 흔들리고 있었습니다. 그대는 요즘 그 사람에게 얼마나 흔
들리셨나요. 얼마나 설레던가요. 혼란스럽지는 않으셨나요. 여전히도
괜찮으신가요.

75

맥없이 터벅터벅 걸어가고 있는데
길에 핀 강아지풀들이 한 마디 던지데요.

"여자의 마음만 갈대는 아니란다."

76

사랑은 늘 상대방을 위해 무엇이 최선일까를 고민하는 것.

77

내가 사랑했던 여자는 저더러 다른 글은 잘 쓰면서 왜 자기한테는 글을 써주지 않느냐고 투정을 부릴 때가 많았습니다. 참 답답한 것이, 저도 그게 왜 안 되는지는 잘 모르겠더군요. 그래도 그녀에게 건네줄 수 있는 말은 있었습니다.

여인이여. 연기자도 자기가 사랑하는 사람 앞에서 연기를 하지는 않는답니다.

78

지난 세월 동안 그대가 누굴 만나며 살아왔던,
그 사람들은 그 사람들이고 나는 나인 겁니다.

인간은 저마다 각기 다른 인생을 살아왔고,
또 나는 내 방식대로 내 인생을 살아왔습니다.

그러니까 그 사람들도 저마다 각기 다른 사람들이고,
나도 당연히 다른 사람들하고 다른 사람입니다.

그리고 제게도 그대는 한 명뿐입니다.

79

한 해가 끝 날쯤이면 당신도 함께 잊힐 줄 알았습니다.
그런데 크리스마스가 이렇게 역풍을 불러일으키네요.

주님.
'오 마이 갓!(O my god!)'은 이럴 때 쓰는 거겠지요?

80

마음만 먹으면 냉철해질 수 있다고 생각했다.
그러나 그것은 너란 사람 때문에 불가능했다.

오늘도 나는 그렇게 그대를 잊는 데 실패하고서
외로움을 껴안은 채 잠을 청한다.

81

외로움을 타는 가을이 '독서의 계절'인 이유는?

"낙엽은 지는데 애인은 없고 그대가 데이트할 일은 없을 테니
책이나 읽으라고 독서의 계절이 된 것 아닐까 싶습니다."

제 후배가 이렇게 말하더군요. 아하

82

"오빠 명품 백 사줘. 부담돼? 헤어져."

남자가 여자 말을 잘 따라야지요.
되도록이면 빨리 헤어져 주시는 게 좋을 듯합니다.

83

"그대가 내 마누라가 되어준다면,
내 평생 그대를 고생시킬 일은 없게 해주리다."

사실 그것은 남자들의 약속이 아니라,
세상 모든 남자들의 간절한 장래희망일 뿐이라는
이 불편한 진실.

84

별똥별은 언제 내리는 건가요.
빨리 내려주세요. 빌고 싶은 소원이 있습니다.

85

뉴스 기사엔 오늘 밤 별똥별이 무더기로 쏟아진다고 했는데
이게 웬걸, 간밤에 비만 무더기로 쏟아지더군요.

이럴 거면 내가 왜 밤을 새웠는지,
서러움만 무더기로 쏟아지는 새벽 아침입니다.

86

상대방 때문에 내 자존심이 상하게 되더라도 그 사람이 용서가 된
다면 그거 사랑 맞습니다.

87

당신은 어제 오늘 어떤 그림을 그려보았습니까. 저는 요즘 제가 사
랑했던 그 사람이 '아직도 날 사랑하고 있나요.'라고 물어봐 주는 모
습을 그리는 실수를 자꾸 되풀이하곤 합니다.

88

명상에 잠긴 사람은 좋은 시를 쓸 수 있습니다.

슬픔에 잠긴 사람도 좋은 시를 쓸 수 있습니다.

그러나 사랑에 잠긴 사람보다

좋은 시를 쓸 수 있는 사람은 없습니다.

좋은 작품 대부분의 주제가 사랑인 것이 그것을 근거합니다.

89

좋은 글 조리법.

① 밤에는 영감을 받아 글을 써두고,

그다음 하룻밤 잘 재워두세요.

② 그리고 아침이 되면 재워둔 글을

맑은 이성으로 잘 다듬으세요.

③ 글에 진심이 잘 들어가 있는지

확인되었다면 완성입니다.

미사어가 가득 담긴 말들은 조미료를 팍팍 뿌린 음식과 같고요,
진심이 가득 담긴 말들은 그냥 먹어도 맛있는 담백한 음식과 같아요.

사람은 자기가 가지지 못한 것에 호기심을 가지고 설레게 된다고
하는데, 제가 사랑과 예술 앞에서 설레는 걸 보면 아직도 그것을 많
이 가지지 못했는가 봅니다.

새삼스레 내가 아직 한참 멀었다는 당연한 사실을 실감합니다.

찢어지는 가난을 맛본 시절에도
부잣집 친구나 출세한 사람을 부러워해 본 적은 없었건만,
이렇게 날씨가 부러워지는 날에는
정말 어떻게 해야 할지 모를 만큼 배가 아프지 말입니다.

93

요 근래 부모님께서 할머니를 집으로 모셔서 함께 지내고 계십니다. 문득 오십 대 후반이 되신, 내일모레면 환갑이 다가올 어머니 모습을 보았습니다. 평소엔 태권도 3단이신 데다가 남자 무장 강도도 맨손으로 때려잡으셨던 엄한 어머니를 생각할 때마다 '어머니 같은 여자랑은 결혼 안 해야겠다.'고 생각했던 게 솔직한 심정이었는데,

확실히 젊었을 때 운동을 하셔서인지 다른 또래 여성들보다 몸을 많이 움직이시는 데도 비교적 건강하신 편이고 (물론 연세가 연세다 보니 몸이 건강해 봐야 얼마나 건강하시겠느냐만), 평소 어르신들께도 깍듯하신 성격 탓에 시어머니이신 할머니께도 잘하려고 노력하시는 어머니의 그런 모습을 볼 때면 요즘은 가끔씩 그런 생각이 들곤 합니다.

'우리 어머니 같은 여자랑 결혼해야겠다. 그러고 싶다.'

94

큰아버지께서 SNS를 배우고 계신다고 합니다. 환갑도 훨씬 넘으셨는데, 그 연세에도 뭔가 배우시는 모습을 보면서 한때 대학을 졸업하면 더 배울 게 없겠다고 생각한 제 오만했던 과거가 상기되어 부끄러워지고 말았습니다.

삶이라는 게, 일만 평생 하는 것이 아니라, 공부도 평생 하는 거네요. 사랑도 평생 하는 거겠지요. 그러면 행복도 평생이길 소망합니다. 저도 열심히 살아야겠습니다. 바람바다와 별 밭 속으로 흩어지는 그 어느 날까지요.

95

누군가를 사랑한다는 것은
'내 심장이 두근두근 거린다.'는 것을 느끼는 게 아니라
내 심장이 두근두근 거리는지, 삼근삼근 거리는지,
마음속이 분간되지 않는 것을 실감하는 겁니다.

한 스님과 차를 마시며 대화시간을 가졌습니다. 우리는 서로의 지병에 관하여 이야기를 나누었습니다.

혜민 스님의 사형으로도 잘 알려지신 혜광 스님. 대화 끝에 다정한 목소리로 이런 말씀을 주시더군요.

"나에게도 지병이 하나 있는데, 우리 그 병, 그냥 '친구'라고 생각하고 지내보는 건 어떨까요?

항아리 있잖아요. 항아리도 새것을 사면요. 새 거라고 막 다루다가 깨지는 경우가 많대요. 그런데 금이 간 항아리는 금이 간 것을 알고, 사슬을 동여매서 조심스럽게 쓰다 보니 오히려 그게 더 오래 사용하게 된다고 해요.

몸도 건강한 친구가 몸 함부로 놀리다가 어느 날 갑자기 세상을 뜨는 경우가 있고, 아픈 친구는 몸을 조심히 다루게 되면서 자연히 교만도 버리면서 더 오래 사는 경우가 있어요.

그렇게 그 병과 친구로 지내다 보면 어느새 그 병이 당신 속으로 사라지게 될 거예요."

96

나는 운명을 믿습니다.

그리고 운명은 자신이 만들어가는 것이라는 것 또한 믿습니다.

결국, 좋은 계기는 자신이 만들어가는 겁니다.

97

"사람을 어디까지 믿어야 할까요?"

내 믿음을 저버리지 않으려고 열심히 분투하는 사람을 찾을 때까지요.

98

삶은 모자이크 그림처럼 많은 점들이 모여 하나의 인생을 이루고 내 인생도 이룹니다. 그 사람도 내 인생의 수많은 점들 중에 하나였음을 애써 부정하려 하지 마세요. 그러면 그럴수록 자꾸 더 생각나서 결국 나만 더 힘들어져요. 그냥 그대로 받아들이세요.

99

삶에서 가치를 가지고 있는
모든 유·무형의 것들은 대부분 그렇습니다.
있다가도 없어지는 것들입니다.

돈과 권력과 명예와 인기뿐만 아니라,
수행과 만족도 그렇고, 사랑과 기쁨들도 그렇습니다.
그 모든 것이 언젠가는 망각의 축복 속에 사라집니다.

그대의 슬픔과 고난 역시도 그렇습니다.
내가 그대를 걱정하지 않는 이유입니다.

100

대학에서 학생 임원활동을 하면서
나랏일 하시는 분들은 제법 여러 번 뵈었는데,
당신을 만나는 것은
그분들보다도 더 어려웠던 지난 시간들.

내겐 나라님들보다도 만나기 어려운 사람이었던
참 비싼 그대.

101

집에 도착하자마자 어머니의 눈을 마주 보았습니다.
오랜만에 집에 들어간 것도 아니었고,
또 무슨 날이었던 것도 아니었습니다.
그냥 그날 따라 그렇게 보고만 있고 싶었습니다.
시간이 지나면서 눈가에 주름이 많이 지기는 하셨지만,
언제나 아들을 사랑스런 눈으로 마주해주시는
당신의 눈빛만큼은 하나도 변하지 않았더군요.

어머니, 역시 진정한 사랑은
시간이 지나도 변하지 않는 것이겠지요?

102

밤새 글을 쓰다가 늦은 시각에 잠을 청하고 대낮에야 일어났는데
휴대폰엔 사랑하는 여인에게서 걸려온 부재중 전화기록이
떠있었습니다.

전화를 걸었더니 내 생각이 나서 전화했다는 여인의 말에 나는
'더 좋은 아침일 수 있었는데' 하는 아쉬움만 남았습니다.

103

나와 당신의 관계를 키우는 말.

"고마워, 사랑해!"

104

"좋아합니다. 좋아합니다. 좋아합니다.
사랑합니다. 사랑합니다. 너무너무 사랑합니다."

사랑을 바라보았을 땐 '제발 좀 대놓고 마음껏 사랑을 표현할 수 있었으면 좋겠다.'는 소망으로 가슴을 졸였으면서 막상 사랑을 마주 보게 되고 소망을 실현할 수 있는 기회가 생기면 우리는 왜 그 소망을 망각하는 걸까요.

당신은 지금 당신과 마주 보고 있는 그 사람에게 사랑을 얼마나 표현하고 계신가요.

105

사랑은 봄과 여름 다음에 겨울이 먼저 오고 가을이 마지막에 찾아오는, 순서가 뒤바뀐 이상한 사계절입니다. 다가올 땐 봄처럼 따뜻하고, 함께할 땐 여름처럼 뜨거우며, 떠나갈 땐 겨울처럼 차갑습니다. 그리고 그러다가 혼자가 되면 가을처럼 쓸쓸해지잖아요. 참 이상한 사계절입니다.

106

'이별'이라는 단어가 슬픈 이유는
두 글자로는 정리할 수 없는 지난 많은 시간들을
단지 두 글자로 정리해야 하는 서러움 때문 아닐까.

107

신께서 창조한 이 세상에 영원히 존재할 수 있는 것은 없다고 하더군요. 그러면 신과의 사랑을 제외하고는 당연히 이별이 없는 사랑도 세상에 존재할 수 없을 테지요.

이별의 상처가 두려워 사랑을 하지 못한다면 세상에 당신이 사랑할 수 있는 것은 아무것도 없을 거라는 말이에요.

108

진심을 말한다고 해서 상대방이 멀어질지언정 거짓으로 상대방을 속이지 말며, 배려가 아름다운 것이라고 해서 내 용기없음을 배려라는 단어로 포장하지 마시길.

109

오래 바라보기만 한다고 해서 당신이 그 사람에 대해 알 수 있는 것은 별로 없습니다. 다가가야만 알 수 있어요. 오래 바라봤다고 해서 사랑이 다가오지는 않으니까요.

110

우리는 애써 사랑하면 어느 순간 떠나보내야 하는 일의 반복이 '인생'이라는 사실에 익숙해져야 한다.

111

두려움이 없는 사람은 세상에 없어요. 하지만 용기라는 건 말예요. 훗날에 초래될 일에 대한 두려움을 떨쳐낼 수 있는 사람에게만 생기는 겁니다.

112

그래도 분명한 건, 지난 사랑의 상처들이 이후
내가 조금 더 성숙한 사랑을 할 수 있도록 도와줄 거라는 거.

113

단 1도도 식지 않길.

인생에 대한 내 열정도,
그대에 대한 내 사랑도.

114

고백이란, 원래부터 어려운 것이다.

좋아하는 이성에게 사랑을 고백하는 것도,
다툰 친구에게 미안함을 고백하는 것도,
부모가 자식에게 나약함을 고백하는 것도,
가진 것 없는 사람이 타인에게 자신의 꿈을 고백하는 것도.

세상의 모든 고백은 원래부터 쉬운 것이 아니다.
당신에게는 타인에게 고백할 용기가 얼마나 있는가?

115

좋아하는 사람에게 좋아한다고 말하지 못했던 그때는 그랬습니다.
저는 사실 그게 '너무 좋아서' 말이 안 나왔던 거라고
생각했었습니다.

그런데 시간이 지나서 다시 생각해보니
그때 그것은 그냥 말이 입에서 안 떨어진 것일 뿐이더군요.

116

나는 자신 있게 말할 수 있습니다.

당신은 당신의 외모나 재산 여부를 떠나서

분명히 매력적인 사람이 될 수 있고,

사랑도 쟁취할 수 있을 것입니다.

모든 것은 그때 알게 될 것이며,

그때에 만나는 것은 이전과 다른 새로움일 겁니다.

117

여인이여,

만인의 여신이 되고 싶습니까,

한 남자의 여인이 되고 싶습니까.

118

클럽에서 'One night'로 만난 남자가
진정한 사랑이 아니었다고 해서
당신을 졸졸 쫓아다니는 남자가
진정한 사랑이라는 법도 없습니다.

몰랐던 거 아니잖아요.
사랑 그거 원래 어렵다는 거.

119

오페라 이야기

《라 보엠》의 로돌포처럼 로맨틱하게,
《리골레토》의 만토바처럼 능수능란하게,
《라 트라비아타》의 알프레도처럼 애절하게,
《사랑의 묘약》의 네모리노처럼 순수하게….

그렇게 사랑하고 싶어라.

어떤 대단한 남자가 세상을 지배하고 있다 하더라도
결국 그 남자를 지배하고 있는 것은 그 남자의 여인입니다.

어느 목사님께서 그러시더군요.
"성경에 따르면 남자는 흙으로 만들어졌고,
여자는 남자의 갈비뼈로 만들어졌다고 합니다.

이런 말 하면 사이비로 오해할 수도 있는데,
재질(?)만 놓고 봐도 남자보다 여자가 더 나은 판에
남자가 여자를 우습게 알아서 될 일입니까?"

여자 함부로 우습게 보면 안 돼요.

122

맘이 설레어 도저히 잠이 오지 않습니다.

봄비가 '두근두근'하는 소리로 내리는 것도 아닌데,
꼭 내 마음처럼 들리는 이유는 뭘까요.

123

멀리서 보면 똑같이 생긴 것 같은 별들도
가까이서 보면 똑같이 생긴 것이 하나도 없습니다.
세상에 여인은 많아도, 그대는 한 명뿐인 것을
내가 그대를 사랑하는 까닭으로 고백합니다.

124

어떤 사람이 어느 날 사랑하는 사람으로부터 헤어지자는 말을 들었는데, 그대로 알겠다고 대답했답니다. 그렇게 대답한 이유는 따로 없었으며, 단지 그 사람이 헤어지자고 해서 헤어진 것뿐이라고 하더군요. 자신은 쿨하고 시크한 사람이라면서요.

저는 이게 별로 쿨해 보이지도, 시크해 보이지도 않는데 여러분들의 생각은 어떠하신가요.

사랑만큼이나 사색이 필요하다는 것을 알고,
사색만큼이나 사랑이 필요하다는 것을 알면
당신이야말로 진정한 예술가입니다.

추신.
거기다가 근거도 출처도 없는 '자뻑'까지 겸비하면 금상첨화.

126

일별이 와도 좋고, 삼별이 와도 좋습니다.

부디 세상 모든 사람들이 이별과 사별만은 피할 수 있길

기도합니다.

127

사람이 사랑에 빠지면 조금 유치해져도 괜찮아요.

그렇다고 정신연령이 낮아지는 것도 아니잖아요.

128

삐뚤빼뚤한 제 자필 글씨 대신에 쓴 워드의 똑바른 글씨들이

글을 읽는 독자들께 제 진심도 '똑바르게' 전해주길 소망해봅니다.

129

내가 본 예술 중에 가장 아름다운 예술은

사랑하는 사람을 위해 기도를 하는 당신의 모습입니다.

브라보!

130

사랑과 사랑이 서로 더해지면 분명 양이 더 많아지게 마련인데, 더해진 사랑의 명칭은 더해지기 전과 똑같이 '사랑'이라고 불립니다.

아무리 커져도 변함없는 것이 사랑이라서.

믿음

아무것도 아닌 사람이라
아무것도 아닌 것을 믿는다

아무것도 아닌 것은 믿어도
아무것도 손해 보는 것이 없으므로

그대가 아무렇지 않게 나를 믿더라도
손해 보는 일은 아무것도 없을 것이다

소망

지우며 사는 사람보다
이루고야 마는 사람이 더 훌륭하고

이루고야 마는 사람보다
내려놓을 줄 아는 사람이 더 지혜롭다

사랑

그대를 떠올리고 있으면
가끔씩 함께 떠오르는 질문이 있다

그대는 나를 얼마나 믿으며 사랑하고 있을까
나는 그대를 얼마나 믿으며 사랑하고 있는가

모기

곤히 잠을 자고 있을 그즈음
간밤에 그녀가 찾아와
허락도 없이 내 입술을 훔쳤다

남몰래 숨겨둔 남편도 있고
남몰래 숨겨둔 자식들도 있으면서
허락도 없이 내 입술을 훔쳤다

잠에서 깨어 일어나보니
무슨 낯짝으로 아직 이곳에 있는가
그녀가 내 다리에 앉아 있었다

나는 용서할 수 없었다
밤새 내 입술이 붓도록 입을 맞춘 그녀는
분노한 나의 손에 그렇게 세상을 떠났다

이 시가 쓰여진 이유

당연한 이별임에도 왜 이리도 슬픈 건지
신경 쓰지 않기로 그렇게 결심했음에도
이토록 머리가 지끈지끈 아파오는가

보고 싶은 마음을 지울 길은 보이지 않아
고달픔과 아픔만 남은 시인, 그리로부터
파생된 사랑과 슬픔의 언어들로
서러움을 감추고서 시를 써내려 간다

쓰다 지우고를 몇 번이나 했는지 모르겠는데
여인이여, 아직도 잘 모르겠다면 말이다
진실로 이 시의 이유를 모르겠다면 말이다

시를 그만 읽고 첫 글자들만 보아도 좋다

제4장

윗모습

나와 세상의 독백

'사자가 없는 산에서는 토끼가 왕 노릇 한다.'
는 말이 있다.

그렇다면 '영혼'은 토끼다.
'욕망'이라는 사자가 깊숙이 사라져야 왕이 될 수 있다.

그러나

사자가 지배하는 세상보다 온순한 토끼가 지배하는 세상이

더 평화롭고 자유로움도 번성한다.

사자의 지배 속에서는 사자가 시키는 대로 하지 않으면

욕망이라는 그 사자에게 잡아먹히게 된다.

영혼이라는 토끼를 왕으로 옹립하기 위해서는

내 안에서 사자를 물리치는 반정(反正)이 필요하다.

그대에게 건네고 싶은 고백이 있다

나쁜 소문이 돌면 일단 소문을 경계하고 보는 버릇이 생겼다. 사람과 사람 사이에 좋지 않은 소문이 돌면 누군가는 다른 누군가에 대한 벽을 치고 또 그 '다른 누군가'는 그 '누군가'로 인해 상처를 받게 되는 특성이 존재하기 때문이다. 그런 상처에 대한 경험이 있어서인지 타인에게 벽을 치고 상처를 주는 것을 원하지 않는다. 어쩌면 겁이 나는 일이다. 사실 확인도 없이 소문을 믿게 되는 일, 아무것도 모르면서 함부로 말을 내뱉다가 실수하게 되는 일, 자신이 뱉은 말에 책임지지 못해서 어떤 말도 타인들에게 받아들여지지 않게 되는 일. 그런 것들에 대한 겁. 소문에 벽을 쳤던 것은 아마 그런 탓일까.

지금도 마찬가지지만 학창시절부터 나는 어딘가 좀 고지식하고 촌

스러운 구석들이 많았다. 제멋에 사는 성격이라 옷도 유행품은 거의 없고 의미가 있는 물건들은 잘 안 버리는 편이어서 집에는 골동품(?)들이 많은 편이다. 고등학교 때 동기 중에 어떤 녀석이 납땜용 인두기로 장난을 쳐 놓은 자국이 그대로인 가방도, 이젠 진짜 버려야 할 판인 필통도, 남들이 볼 때마다 바꾸라고 아우성인 간지라곤 전혀 찾아볼 수 없는 낡은 손목시계 등등. 모두 10년 안팎으로 지금까지 사용하고 있는 것들이다. 30년이 넘은 가방, 70년이 넘은 다리미도 아직 사용 가능하다는 이유로 버리지 않고 계시는 어머니 성격을 닮아서 그런 걸까.

옷도 몸만 가릴 수 있으면 옷이라고 생각하는 편이라 그런지는 몰라도 메이커나 유행하는 옷보단 뭔가 의미 있는 선물을 더 좋아하는 편인 나에겐 물건도 인간관계도 버린다는 게 좀 낯설 때가 많다. 고놈의 뭔지 잘 알지도 못하는 정이라는 것 때문일까. 글쎄, 그런 것 때문인지는 잘 모르겠지만….

아무튼 그랬다. 안타까운 감정이 들 때가 있다. 사람을 '목적'으로 대하지 않고 '과정'으로 대하는 사람들을 볼 때마다 그런 감정이 들게 된다. 사람을 과정으로 두고서 왜 꼭 그 과정보다 못한 것을 목적으로 대하고 있는 것일까 하는 생각이 들어서. 그렇게 생각하니 마음 한구석을 푹푹 찔러보게 된다. 나도 저렇게 살았던 적은 없었는가,

혹은 지금도 저렇게 살고 있는 것은 아닌가 싶은 마음이 들어서.

문득 이야기 하나를 꺼내고 싶어졌다. '지금 잡으면 인연이지만, 그대로 놓쳤을 땐 우연이라는 이름으로 끝나는 것'이라면, 우연이라는 이름으로 끝내기 싫은 사람들과 지금의 인연이 되었다는 거. 우리가 우연으로 끝나지 않았기에 필연이라고 말할 수 있다는 거. 그래서 서로가 '필요한 인연'이 되었다는 거. 함께하는 것만으로도 필요한 존재이기에 인연이라는 것이 소중하다 말하는 것이고 또한 내게도 그러하다는 거. 그리고 소문에 벽을 칠지언정 최대한 그대에게 벽을 치고 싶지는 않다는 거. 그러면 이제는 습관처럼 몸에 밴 이기적인 태도로 그대에게 상처와 슬픔을 안겼던 나 자신을 헤아리며 살겠다는 거. 그렇게 내가 그대에게 건네고 싶은 고백은 아마도 이런 거.

"참 좋은 인연입니다."

그대에게 건네고 싶은 고백이 있다 | 233

인연(因緣) : 사람과 사람 사이의 관계

1

미용실에 가서 머리카락을 손질했습니다.
나름대로 단정하게 잘 정리되긴 했지만
왠지 마음에 들지 않아서 '멘붕' 중입니다.

얼굴이 잘생기기라도 했으면
이런 걸로 멘붕이 오진 않았을 텐데
못난 놈이 성의껏 내 머리카락을 손질해주신
미용사님께만 애꿎은 원망을 돌리고 있네요.

어쩌면 얼굴만 못난 것이 아니라,
마음도 못난 것은 아닐까 하는 불안감이 엄습합니다.

2

음식점에 갈 때나, 미용실에 갈 때나, 꽃집에 갈 때나
원하는 사항을 간단히 주문한 다음, 한마디 덧붙여 보세요.
"장인의 손을 믿을게요!"

아마 돈을 많이 쓰지 않더라도 VIP 손님이 될 거예요.

3

지구상에 서로 얼굴이 똑같거나 목소리가 똑같은 사람이 한 명도
없듯, 인생도 타인과 백 퍼센트 똑같은 삶을 살고 있는 인생은 없습
니다.

그러므로 우리는 누구나 인생의 초연(初演)자입니다.

4

매일 일기를 쓰고 한 달이 끝이 나면,
하루하루를 돌아보는 시간을 가지곤 합니다.

그런데 매년 4월의 첫날은
변함없이 거짓말로 시작했더군요.

미안.

5

요즘은 4월에도 눈이 내리고 우박이 내리더군요.
이대로 가다가는 곧 여자가 한을 품지 않더라도
오뉴월에 서리가 내릴 기세입니다.

6

거울을 얼굴에 대고 빤히 보고 있다가 입김을 불면,

거울에 내 얼굴은 보이지 않고, 서린 김만 보이게 됩니다.

우리도 남의 일에 '이래라, 저래라' 간섭하게 되는 순간,

그렇게 제게 묻은 흠은 보지 못하고, 남의 흠만 보게 되나 봅니다.

7

저는 인생은 '상대평가'가 아니라 '절대평가'라고 생각했습니다. 그래서일까요. 학교에서 상대평가로 시험 치던 버릇이 남은 채 사회에 나와서도 그런 시각으로 남 잘되는 꼴 못 보는 배알 꼴린 친구들이 있는 걸 볼 때면 좀 안쓰러워 죽겠더만요.

아무리 '눈에는 눈, 이에는 이'라고 해도 당신에게 시기와 질투를 보내는 것을 일삼는 사람이 있다면 그 사람 그냥 무시하세요. 그 사람 그렇게 시간 쓰도록 내버려두세요.

괜히 나도 그 사람과 똑같이 시간 낭비하고 있을 필요는 없잖아요. 괜히 나도 그 사람과 똑같은 그릇으로 살 필요는 없잖아요. 우리는 우리 일이나 열심히 하고 사는 게 득이겠습니다.

'인맥정리' 한다고 연락이 소원해진 사람들과 먼저 관계를 끊을 필요는 없어요. 본래 '인맥정리'란 연락이 소원해진 사람들에게 먼저 연락해보고 안부도 물으면서 그렇게 관계가 회복되는 것을 말하는 것 아닐까요.

아마 그 연락은 단순히 상대방의 귀에 닿는 연락일 뿐만 아니라, 상대방의 마음의 문에 닿는 연락이 될 텐데요.

드라마 '겨울연가', '가을동화', '여름향기', '봄의 왈츠'의
테마곡을 작곡하셨던 작곡가 박정원 선생님과 커피를 마셨는데,
그날 제게 중요한 말씀을 하나 주시더군요.

"어떤 예술을 하든지 말이야.
예술에서는 '1 더하기 1은 2가 아닐 수도 있다.'가 아니라,
'1 더하기 1은 2가 될 수 없어야 한다.'가 돼야 한다는 거야.

1 더하기 1이 2가 되는 순간 그것은
창조적인 것이 아니니까 예술이라고 할 수 없지.
그냥 그대로 수학 혹은 산수가 되어버리는 거야.
일반적인 방식이 되는 거라구."

친구야. 너에겐 아름다운 이야기를 들려주고 싶어.

스펙을 쌓는 일은 남들과 경쟁하게 되지만
추억을 쌓는 일은 남들과 머리를 맞대게 됩니다.

때로는 혼자서 작은 스펙과 씨름하기보다
서로 협력해서 더 크고 멋진 일들을 이루어
각자의 추억 속에 남겨보는 것은 어떨런지요.

칭찬주고받기

"동에 번쩍, 서에 번쩍!
진혁씨의 열정은 도대체 어디에서 나오는 건가요?"

"저도 당신처럼 노래를 정말 잘했더라면
제 열정을 오로지 음악에만 집중시킬 수 있었을 텐데 말입니다."

— 음악학도 C 님과의 대화 중에서

13

헷갈림 시리즈1

나는 어제 분명 친구들과 날이 새도록 술을 마셨는데, 같이 마신 친구들은 아무도 그런 기억이 없다고 합니다. 도대체 나는 어제 누구와 술을 마셨다는 말인가요. 술이 다 깬 시각인데도 좀 헷갈리기 시작합니다.

14

헷갈림 시리즈2

오늘이 입추라는데 기상청에서는 무더위가 이제부터 진짜 시작이라고 합니다. 가을이 더위가 오는 시기를 말하는 거였나요? 좀 헷갈리기 시작합니다.

15

헷갈림 시리즈3

폰을 보는데 친구 녀석들 카카오톡 프로필 사진이 죄다 여자 친구 사진들이더군요. 나는 내 친구들 번호와 이름을 저장했는데 이게 내 친구 번호가 저장된 건지 아니면 모르는 여자 번호가 저장된 건지 좀 헷갈리기 시작합니다.

16

사람을 만나다 보면 때때로 예의를 안 차리는 것이 오히려 예의일 때도 있더군요. 이것도 참 헷갈립니다. 인간관계.

17

사람들이 저마다 자신의 정치적 성향에 따라서 어느 언론사 기사는 믿을 게 '되네', '못 되네'를 논하는 것을 볼 때가 있습니다.

그런데 그런 분들께서 하나같이 '카더라 통신'을 맹신하는 모습을 볼 때면 참 난감하지 말입니다.

18

"야, 낮말은 새가 듣고 밤말은 쥐가 듣는다는데
어차피 나중에 다 알게 될 거 나한테만 살짝 이야기해줘."

그럼 새하고 쥐한테 들으세요.
어차피 걔네도 '짹짹'과 '찍찍'밖에 말하지 못하겠지만.

19

"야, 2만 원만 빌려줘. 내일 꼭 갚을게."

"아니다. 괜찮아. 안 갚아도 된다."

"아니야. 내일 아침에 꼭 갚을게."

제가 제 돈 2만 원을 갚지 않은 그 친구와 연락을 끊었던 것은 그 돈이 아까워서가 아니었습니다. 물론 당시 저도 돈이 넉넉한 상황은 아니긴 했지만 그래도 그런 건 아무래도 괜찮았습니다. 다만 고작 종잇장에 내 우정을 팔아넘긴 그 친구를 용서하기가 어려웠습니다.

20

어릴 때 나와 같이 게임하던 고레벨 친구들은 나보고 항상 '허접'이라고 놀렸었습니다. 그런데 게임을 접고 그들을 보니, 오히려 그들이 그렇게 허접해 보일 수가 없더군요. 헹!

21

세상에 남의 흉을 보는 사람이 위인으로 남는 경우는 거의 없습니다. 그들 대부분은 위인들의 역사에 엑스트라로 등장하는 경우만 무수히 많습니다.

22

타인을 무시하지 마세요. 무시를 당한 그 사람의 마음속에 '무시'라는 단어들이 하나하나 번지기 시작하면 훗날 그 사람은 진짜 '무시무시'한 사람으로 변신해있는 경우가 많으니까요.

23

권력을 가지고 세력을 가진 사람을 두려워해야 할 것이 아니라,
권력을 가지고 세력을 가지는 일이야말로 두려워해야 할 일입니다.

24

물론 '힘'이라는 것은 맛있는 거예요. 그러나 그것도 조절을 못 하고 막 먹으면 주체하지 못할 만큼 살이 쪄서 나 자신을 힘들게 하겠지요?

25

일장연설을 늘어놓는 사람보다
일장연설을 가만히 들어주고 있는 사람이 사실은 더 유식합니다.

26

나에게 벌어지는 좋지 않은 어떤 일이 내 주위 사람들에게 번지는 게 싫다는 책임의식만 가지고 있다면, 당신은 그 마음가짐만으로도 리더입니다.

27

누군가 그런 말씀을 하시더군요. 어른이 되면 남의 생각을 다 안다는 것 같이 행동하기 쉽다고. 진짜 그럴지도 모릅니다. 그런데 내가 오늘 벌써부터 그런 짓을 했다는 사실을 깨닫고 나니 새삼 내 장래가 걱정되기 시작했습니다.

28

'가위바위보'를 할 때 "남자는 무조건 주먹"이라며 항상 '주먹'을 내는 나에게 '보'를 내고 이긴 친구가 허망한 표정의 저를 보며 한 마디 던지더군요.

"세상은 주먹을 먼저 든 사람이 지는 거야. 포용할 수 있는 사람이 이기는 거지."

29

사람과 사람 사이에 갈등이 빚어졌을 때, 서로가 화해할 수 있는 열쇠는 당연히 '먼저 잘못한 사람'이 가지고 있어야 하는데, 애석하게도 현실은 '먼저 잘못한 사람'이 열쇠를 가지고 있기보다는 '먼저 갈등을 풀려고 하는 사람'에게 쥐어져 있는 경우가 많고, 열쇠가 있는 사람이 좋은 그릇을 가진 사람입니다.

이럴 때는 누가 먼저 잘못했는지 따져봐야 푸는 데엔 별 도움이 안 됩니다. 열쇠가 있는 사람이니까 풀 생각을 가질 수 있는 것이고, 열쇠가 없는 사람은 풀 생각도 가지지 못하니까요.

추신.
열쇠를 바르게 꽂았는데도 풀리지 않으면 그건 열쇠 구멍의 문제이니 내버려두시라!

30

인간관계에서 친구의 좋은 소식에 '어쩔'이라고 반응하는 것과, '쩔어'라고 칭찬해주는 것의 효과는 둘 다 같은 글자를 말했음에도 불구하고 천지차이.

즐 시리즈1

과거엔 친구들에게 연락을 자주 했더니 친구가 제법 많아졌습니다. 그랬더니 몇몇 사람들은 저더러 인맥관리를 한다며 뭐라 그러더군요.

그래서 한동안 친구들과 연락도 자제하고 여행을 다녔더니 새로운 사람들을 만나게 되었습니다. 그랬더니 이번에는 그 몇몇 사람들이 저더러 자기 친구들은 안 챙기고 엉뚱한 사람들만 만나러 다닌다며 또 뭐라 그러더군요.

알고 보니 이 사람들,
내가 뭘 하던 자신과 다르면 뭐라 그럴 사람들이었습니다.

그러므로 님아. 즐!

32

즐 시리즈2

가끔씩 문자로 '이 메시지를 다른 사람들에게 돌리지 않으면 불행이 찾아옵니다.'라고 하는 일명 '불행의 편지' 같은 메시지를 보내오는 지인들이 있습니다.

꼭 평소에 연락도 잘 오지 않는 사람에게만 이런 문자가 날아오는 걸 보면 내가 그 사람에게 오죽이도 필요 없는 존재인가보다 싶습니다만, 그 사람이 제 행복하겠다고 다른 사람에게 민폐 끼쳐가며 그런 문자 돌려서 얼마나 행복하게 사실지는 잘 모르겠습니다.

연락 끊자는 말을 꼭 이런 식으로 하시는 분들 보면 난 좀 싫더라고요. 그러므로 님도 즐!

즐 시리즈3

꼭 제대로 알지도 못하면서 남을 비난하고 다니다가 그로 인해 제 탓으로 돌아오는 문제에는 사과 한마디 없이 그저 "나도 잘 몰랐다." 며 완전 억울하다는 듯 무책임한 이야기들만 늘어놓는 분들이 간혹 계십니다.

여러분은 이런 부류의 지인들을 마주하면 어떤 감정이 드시나요. 저는 주둥이를 확 찢어버리고 싶은 욕구가 치밀어 올랐습니다.

그러므로 한 번 더 님아. 즐! 할까요? 말까요?

34

어릴 때는 싫어하는 사람이 있느냐는 질문을 받으면 여러 유형의 사람들을 싫어하는 사람으로 답변했습니다.

민폐 끼치는 사람, 가식적인 사람, 사람 우습게 아는 사람 등…
나중에 알고 보니 그들은 '성찰할 줄 모르는 사람'이라는 한 마디로 귀결되더군요.

35

사전에 '꼴불견'이라는 단어를 검색해보니 '하는 짓이나 겉모습이 차마 볼 수 없을 정도로 우습고 거슬림[3]'이라고 나와 있었습니다. 하지만 진짜 꼴불견인 건, 꼴불견인 사람을 보았을 때가 아니라, 꼴불견이라고 느꼈었던 그 짓을 내가 하고 있을 때더군요. 쩝!

36

새파랗게 젊은 놈이 힘없는 어른들의 자존심까지 이겨대겠다고 달려드는 꼴을 볼 때면 진짜 그 젊은 놈 주둥이를 확 찢어버리든지 꿰매버리든지 어떻게 좀 해버리고 싶더군요.

과거, 부모님께 달려들었던 제 주둥이 말입니다. 뷃.

---

3) 네이버 국어사전에서 '꼴불견' 검색.

수업 땡땡이를
처음 쳐본 것이 초등학생 때.

게임중독으로 홀어머니를
특히 고생시켰던 것이 중학생 때.

담임선생님 과목에 100점보다도 어렵다는
0점을 맞아본 것이 고등학생 때.

군인 친구들이 휴가 나와서 찾을 때마다 수업을 제쳐두고
함께 시내를 쏘다녔던 것이 대학생 때.

이젠 모두 다 고쳐졌다고 생각하건만
학창시절 저는 얼마나 많은 공부를 미루었기에
타인들로부터 유학자라는 이름을 부여받아
이 나라를 떠돌며 공부만 하고 있는 것인가요.

38

친한 동생이 저를 안다는 후배에게
진혁 오빠를 어떻게 아는지 물어봤다고 하더군요.

제가 하하하 웃으며
그래, 뭐라 그러더냐고 물어봤더니
'엄마 친구분 아들'이라고 답했다고 합니다.

저도 '엄친아' 소리 들어보네요.

39

참 이상하단 말이야.

설득에는 잘 넘어가지 않으면서
유혹에는 잘 넘어가는 우리.

40

남에게 진실한 사람으로 보이고 싶다면
의외로 그리 어렵지는 않습니다.

나 자신에게 진실하기만 하면 되니까요.

41

거짓말에는 커피 맛이 난다.
선한 거짓말에는 달콤한 밀크커피 맛이,
악한 거짓말에는 독한 에스프레소 맛이.

그래서 거짓말을 맛보게 되면 잠을 이루지 못한다.

42

진실은 언제나 거짓의 속박을 견디지 못하고 튀어나오려는 습성을
지니고 있나 봅니다. 왜 진실을 묻어두는 것은 늘 일시적일 수밖에 없
는 걸까요. 내가 상대방에게 거짓말한 것을 묻으려는 것도 아니고, 상
대방이 내게 한 거짓말을 내가 모른 채 묻어주고 용서하겠다는 건데.

43

"나한테 이득 되는 일도 아닌데 그걸 내가 왜 해."

그래요. 자신에게 이득 되는 일들만 하셔서 살림살이는 좀 나아지셨습니까.

44

학창시절 내 험담을 늘어놓고 다니기 바빴던 한 동문이 평소에는 연락도 없다가 어느 날 부탁이 있다며 전화가 왔습니다. 문득 저런 두꺼운 낯짝은 저도 좀 본받고 싶다는 생각이 들었습니다.

45

옛날에는 그랬습니다. 필요할 때만 연락 오는 사람들을 별로 좋아하지 않았습니다. 하지만 요즘은 그 김에 서로 안부라도 주고받고 사는 것 아닐까 싶더군요. 우리네 삶.

46

오늘은 이상한 버스를 탔습니다. 그동안 자주 버스를 타면서 다른 기사님들은 안 그러셨는데 유독 오늘 탄 버스의 기사님은 왜 저렇게 손님들께 불친절하신지 모르겠습니다.

그러자 보다 못한 한 어르신께서 점잖은 말투로 꾸짖으십니다.
"손님들에게 이렇게 불친절해도 되는 것이오?"

그랬더니 버스 기사님 왈,
"버스 기사가 운전만 잘하면 되지, 서비스업까지 해야 합니까?"

버스 기사의 대답을 들은 어르신께선 껄껄 웃으시고는 이내 직격탄을 날리시더군요.
"당신 말이 옳소. 버스 기사가 운전만 잘하면 되지, 손님들께 불친절을 제공하는 수고까지 할 필요는 없지 않소?"

47

"사랑이 밥 먹여 주냐?"

"행복 같은 소리 하네."

"인생 별거 있어?"

　좀 추상적인 것들이라고 해서 결코 하찮은 것처럼 가볍게 여기지는 마세요. 알고 보면 하찮은 게 아니라 살면서 꼭 생각하게 만드는 것들이잖아요. 사랑이 밥 먹여주고요. 행복 같은 소리가 다른 소리보다 듣기 더 좋고요. 한 번뿐인 인생에도 별게 다 있더만요.

48

하나님,

상처받은 이들의 마음을 위로하는 일에도 혹시 귀천이 있나요?

49

　사람이 자살을 택할 땐 하나같이 제 가슴에 '외톨이'라는 이름을 붙이고 생을 마감하는데 주께서 그들을 굽어살피시는 것도 좋겠지만 그 이전에 그대가 먼저 그들을 돌아보아 주신다면 그 또한 아름다운 세상이 아닐런지요.

50

전기와 보일러가 끊긴 집에서 살아야 했던 그때는 외투와 이불과 주변 사람들의 손길만으로 한겨울의 추위를 버텼습니다. 만일 그것들조차 없었더라면 아마 나는 몸뿐만 아니라 영혼마저 얼어붙은 아이로 자라 있었을지도 모릅니다.

아직 제게 세상이 아름다워 보이는 까닭입니다.

51

사는 게 어려워 힘들 때마다 어떤 바람을 담은 기도보다는 당신을 사랑한다는 온전하고 순수한 기도로 당신을 찾길 원합니다.

52

우리는 남을 조소하는 것이나 남을 무시하는 것이나 둘 다 잘못된 것임을 알고 있습니다. 하지만 우리는 대화를 나누다 상대방의 어떤 강한 의견을 받아들이기 힘들어지면 누구나 그 둘 중 하나밖에 선택하지 못하더군요.

저 역시도 그래 왔으며, 또한 저 역시도 둘 이외의 선택을 해낼 수 있는 천재를 아직 만나보지 못했습니다. 좀 씁쓸한 법칙이긴 하지만요.

53

'복어'라는 물고기가 있다. 대개는 먹잇감을 제외하면 그렇게 공격적인 동물은 아니지만, 그렇다고 상대가 이 물고기를 만만하게 보고 잘못 잡아먹었다간 큰코다친다.

해독제도 없는 '테트로도톡신'이라는 무시무시한 독이 퍼져 죽음에 이르게 하기 때문에 의외로 정말 무시무시한 이 물고기.

사람들 사이에서도 종종 그런 복어 같은 사람이 있는데, 그런 사람을 잘못 건드렸다가 본전은커녕, 목숨같이 지키고 싶었던 자존심까지도 무참하게 짓밟히는 사람들을 볼 때면 크리스천인 나도 모르게 나무아미타불….

54

"넌 뭘 믿고 그렇게 자신만만한 거니?"

믿는 것 없이 자신만만한 사람이 문제가 아니라,
뭔가 배경을 믿고 까부는 그 사람이야말로 진짜 문제입니다.

55

어릴 땐 나를 무시하거나 나를 힘들게 하는 사람이 있으면
'이다음에 내가 잘 되었을 때, 넌 진짜 두고 보자.'는 마음으로
인내를 가졌었습니다.

시간이 지나서 문득 이 인내를 다시 돌아보게 되었습니다.
좀 더 넓은 그릇을 가지고 인내할 순 없었을까요.

56

참 특별한 당신에게

당신을 미워하는 사람도 사랑하세요. 당신에게 아무 감정이 없는
사람을 사랑하는 것은 일반인도 할 수 있는 일입니다.

57

만약 원수를 외나무다리에서 만났는데 그 외나무다리가 십자가모
양이라면, 당신은 그 원수에게 먼저 길을 양보해주는 사랑을 베풀 수
있겠습니까.

58

서로 오해가 생겨 화가 났을 때, 서로의 오해를 풀려면 오해가 생긴 상대와 대화를 해야 합니다. 혹시 여러분들에겐 대화가 아닌 다른 방법으로 오해를 풀 수 있는 수단이 있나요. 제 얕은 지식으로는 아직 잘 모르겠습니다.

용기 내어 상대에게 말을 걸어보세요.

59

'미안하다'는 말 한마디면 끝날 일인데 사과한다는 게 싫어서 일을 꼭 어렵게 풀어가는 친구들을 볼 때면 '왜 저렇게 사과를 싫어할까?' 하는 생각을 해보게 됩니다.

혹시 전생에 독 사과를 먹고 죽은 '백설공주'는 아니었을까요.

60

'용기 있는 사람'이란, 누군가를 제압할 수 있는 사람을 두고 하는 말이 아닙니다. 쓸데없는 자존심은 접어두고 먼저 다가가 자신의 과오를 고백하고 사과할 수 있는 사람, 그런 사람을 두고 진짜 '용기 있는 사람'이라고 하는 것 아닐까요.

61

남을 휘어잡으려고 하는 용기로는 지혜로운 사람을 결코 이길 수 없어요. 남에게 사과를 건넬 수 있는 용기라야 지혜로운 사람을 압도할 수 있습니다.

62

섭섭한 마음을 이겨라.
열심히 하는 사람들이 얻는 병이다.
열심히 하지 않는 사람들은 섭섭해하지도 않는다.
열심히 하는데 몰라준다고 섭섭해하지 마라.
섭섭해하는 순간, 너의 열심은 물거품이 되어버린다.

정목 스님의 책을 읽었습니다. '미용고사'라는 생소한 단어가 들어 있었는데, 뜻을 풀어보니 이랬습니다.

'미안해요.' / '용서해요.' / '고마워요.' / '사랑해요.' [4]

저도 사람인지라, 살면서 미워하고 증오하는 사람들이 생길 때가 있습니다. 해서 그들을 견뎌내는 나름 대견한 저를 보면서 그 미용고사를 읊조렸지요.

'미안해요.' / '용서해요.' / '고마워요.' / '사랑해요.'

분노가 가라앉을 때까지 저를 향해 몇 번이고 되뇌었는데, 신기하게도 어느새 그 말의 방향은 점점 제가 아닌 그 '증오대상자'들을 향하고 있는 게 아닙니까.

'미안해요.' / '용서해요.' / '고마워요.' / '사랑해요.'

---

4) 정목 스님著, 『비울수록 가득하네』, 216~217p, 쌤앤파커스刊.

64

과거에 '누군가'를 싫어했던 사람들도 어느 날 그 '누군가'에게 감동을 받게 되면 덤으로 지난 악감정을 거두고 오히려 그전보다 더 친해지기도 한다는데, 혹시 저도 은연중 저로 인해 서운함을 느꼈던 이들이 있다면 이 글들로 하여금 다시 화친할 수 있는 기회가 생길까요.

65

가끔 연세가 50~60이 되신 어르신들께서도 친구들과 싸우시는 모습을 볼 때가 있습니다. 그런 광경을 볼 때마다 아무래도 가장 공부할 것이 많은 학문 중 하나가 '인간관계'인 것 같다는 생각이 듭니다. 굉장히 어려운 학문 같습니다.

66

어릴 때 '어른 공경'이라는 말을
'어른 공격'으로 잘못 배운 친구들이 있던데…

그러니까 수업시간에 졸지 말라고 했잖아.

67

나보다 나이가 한두 살이라도 더 먹은 사람이라면 그 사람은 그것만으로도 존중할 가치가 있는 사람입니다. 그 사람이 나보다 밥을 더 먹었기 때문이 아니라, 그 사람이 나보다 생각을 더 많이 했기 때문입니다.

혹시 그동안 '나는 밥 두 그릇 먹고 자랐으니 까불어도 괜찮다'고 생각하셨는가요. 그렇다면 그 오만함도 이제 고이 접어주시라.

68

'선생님'이라는 직업이 아름다운 이유는 '공부해서 남 주는' 직업이기 때문이라는데, 그래서 어느새 백발이 성해진 제 선생님들 모습이 지금도 제 눈에 그렇게 아름다워 보이는가 봅니다.

69

은사님들을 뵐 때마다 느끼는 건데, 배워서 망덕한 사람에 비하면 배워서 남 주는 사람이 백배 천배는 현명하지 않은가요.

70

지금은 담배를 끊으셨지만,
과거엔 담배를 많이 태우셨던 우리 아버지.

한번은 제가 스트레스 때문에 담배 피우시는 건 봐 드려도,
몸에 안 좋은 담배를 내 손으로 직접 사다 드리진 못한다고
말씀드린 적이 있었습니다.

그랬더니 아버지께서 하시는 말씀이,
자식이 담배 심부름 하나 안 해주면 서러워서
더 스트레스받게 될 거라고 하시더군요.

사랑하는 우리 아버지,
이제라도 담배 끊어주셔서 대단히 감사합니다.

71

저 멀리멀리 떠 있는 별이 어둠 속에서도 빛을 발하듯이
자신의 진정한 장점은 말하지 않아도 타인의 눈에 띄는 법입니다.

자기자랑으로 타인에게 칭찬받는 사람은 결코 없어요.

72

몇 시간이 넘도록 서로 웃고 떠들고 있는 친구보다는 몇 시간이 넘도록 서로 아무 말 하지 않고 있어도 어색하지 않은 친구가 사실은 진짜 친한 친구입니다.

73

글을 쓰다가 꾸벅꾸벅 졸았더군요. 역시 세상에서 가장 무거운 것이 졸음이고, 가장 가벼운 것이 고개가 맞나 봅니다.

74

가끔씩 불금엔 연인이나 친구들과 함께 클래식을 즐기는 것도 제법 매력적인 밤이 된답니다.

75

"경쟁의 포화 속에서 창조가 사라진 세대"

문득 감정대로 글을 끼적이다가 잠깐 생각에 잠겼습니다. '혹시 우리 세대를 뜻하는 말일까?' 하는 생각에 덜컥 겁이 나더군요.

76

여유롭게 살고자 하는 사람들이
가장 많이 하는 말이 뭔 줄 아세요?

참 이상하긴 하지만,
'빨리빨리'더군요.

77

세상과 나를 동일하게 맞춰가려고 하지 마요.
나는 세상 위에 서 있는 사람이에요.

우리는 세상과 위치부터가 다릅니다.

78

우리나라 사람들의 정서상 직접적인 걸 잘 표현하지 못해서 우회적
으로 표현하는 경향이 있는데, 그중에서도 가장 나쁜 우회적 표현은
'부럽다'는 말을 꼭 행동으로, 그것도 온갖 창조적인 방법들을 동원해
서 표현하는 겁니다. 정말 이들의 창조력은 예술가를 능가하더군요.

79

거짓말에 속는 사람은 바보 같은 사람이겠지만,
거짓말을 알면서도 속아주는 사람은 정말 무서운 사람입니다.

그거 조심하려면 나 자신의 거짓말만 조심하면 돼요.

80

어떤 부끄러움을 느낄만한 일을 저질렀을 때,
'도덕'이라는 단어는 더욱 뼈아프게 다가오게 마련입니다.

81

진짜 좋은 인맥을 쌓고 싶다면
잘 돼 가는 친구에게 연락하지 말고,
지쳐있는 친구에게 연락해보세요.

그러면
그 두 사람은 진짜 좋은 인맥이 됩니다.

82

그저 그러한 사람은 자신이 갈 자리에 투자하지만,
명망이 있는 사람은 자신이 머문 자리에 투자합니다.

83

내가 내려 본 땅이 어둠으로 가득 드리워진 이유는
나에게 빛이 함께하지 않아서라고 생각하지 않습니다.

주변에 든든한 사람들이 많이 서 있어서
그들의 그림자로 꽉 채워져 있기 때문이겠지요.

84

할 말을 당당하게 할 수 있는 간 큰 사람으로 살 수 있으면 좋겠습
니다. 그러나 그 배짱으로 타인을 함부로 대하게 된다면 차라리 작은
간으로 살아가는 인생이 낫겠습니다.

그리고 내 옆에는 그대가 있으면 참 행복하겠습니다.

한 번씩 '착한 사람은 하늘이 빨리 데려가고 나쁜 사람은 늦게 데려간다.'는 생각이 들 때가 있습니다. 그런데 원래 '시간'이라는 것도 좋은 시간은 빨리 흘러가고, 지루한 시간은 느리게 흘러가는 법이라, 혹시 그런 느낌과 비슷한 것일까 하는 생각을 해봤습니다.

깊게요.
하지만 애석하게도 그런 것 같지는 않았습니다.

들어본 말 중에 가장 힘이 나는 말은
"그놈은 뭘 해도 된다."

들어본 말 중에 가장 자주 되새기는 말은
"오빠 초심을 기억해요."

들어본 말 중에 가장 억울했던 말은
"너, 엄마 돈 훔쳐갔지?"

들어본 말 중에 가장 아름다운 말은
"미안합니다."

들어본 말 중에 가장 황당했던 말은
"지지자입니다."

87

내가 살고 있는 이곳은 분명 대한민국인데,

거리의 간판들은 왜 다 영어로 되어있는 건가요.

심히 의문입니다.

88

대학 기숙사에 살다가 졸업을 하고는 다시 내 방으로 돌아왔습니다. 그런데 내 방은 이미 창고로 변한 지 오래되어 내가 누울 자리가 없어졌더군요. 아, 괜히 서럽더만요.

89

대학을 졸업하니 주위에서 하나둘 결혼한다는 소식이 들리기 시작했습니다. 이렇게 우리도 점점 나이를 먹고 있다는 것을 실감하기 시작하나 봅니다. 모두 동화 속 해피엔딩처럼 오래오래 행복하게 잘 살기를 기도합니다.

90

어떤 경우에, '성찰'에는

자기 자신이 별 보잘것없는 사람이라는

충격적인 깨달음을 감당할 수 있는 용기가 필요하다.

용기를 가지고 성찰하는 순간,

내 안의 어딘가에 숨어있던 겸손은

그제야 배꼼이 고개를 내민다.

91

남을 위해 기도하세요.

어차피 내 껀 기도해봤자

어느 신께서도

하나도 안 들어주실 거니까

기대하지 마세요.

내 껀 꼭 필요한 것만

때에 맞춰 챙겨주시거든요.

92

"나만을 위해 기도를 드리는 사람은
나 자신에게만 인정받는 사람이 되어있을 것입니다.

내 가족을 위해 기도를 드리는 사람은
내 가정에서 인정받는 사람이 되어있을 것입니다.

내 소속단체를 위해 기도를 드리는 사람은
내 소속단체에서 인정받는 사람이 되어있을 것입니다.

내 나라를 위해 기도를 드리는 사람은
내 나라에서 인정받는 사람이 되어있을 것입니다.

그리고
이 세계를 위해 기도를 드리는 사람은
세계적으로 인정받는 사람이 되어있을 것입니다."

제가 어릴 때 들었던 어느 목사님의 설교였어요.

93

높은 자리에 올라가는 것을 두려워하지 않는 사람이기보다도, 높은 자리에서 내려오는 것을 두려워하지 않는 사람이고 싶습니다.

94

감기와 빅 매치 중입니다.
이왕이면 K.O 시키는 게 아니라, 아예 죽여 버려도 무죄겠지요?

95

피곤해지기 싫어서 남과의 트러블을 만들지 않고 맞춰주고 사는 것도 현명한 인생이고, 조금 피곤해지더라도 자신의 신념을 지키며 사는 것 역시 현명한 인생입니다.

각자의 장단점이 존재하는 것이지, 남에게 맞추고 산다고 비겁하다거나 자신의 소신을 지키고 산다고 어리석은 것은 아닙니다.

그냥 저마다 더 잘 감내할 수 있는 인생을 택해서 살아간다는 것, 단지 그뿐입니다.

96

"나에게 답이 없으면 다른 누구에게도 답이 없다."

이 말을 들으면 왠지 나 아닌 타인에게 고민을 털어놓지 못하고 혼자 고민해야만 하는 것인지 싶어져서 뭔가 모르게 외로워지고 서러워진다고들 합니다.

그래서 그분들께 그 말에 뒷말이 남아있는 것 같다고 위로했지요. 제 생각으론 아마 이렇게 되지 않을까 싶습니다.

'나에게 답이 없으면, 다른 누구에게도 답이 없다. 그러나 나에게 답을 얻고자 하는 의지가 있다면, 다른 사람에게서도 답을 찾을 수 있고, 그렇다면 그 의지만으로도 답이라고 할 수 있다.'

97

누군가의 열정에 설레면 많은 배움을 얻게 되고,
자신의 열정에 설레면 많은 이룸을 얻게 됩니다.

하나하나 배우면서, 조금씩 조금씩 이루면서
그렇게 살아가다 보면 그 또한 즐겁지 아니한가요.

98

저는 이름이 알려진 유명한 사람이 아닙니다. 당신보다 더 많이 배운 사람도 아닐 것입니다.

참 다행이지 않습니까. 만약 저의 이야기가 어느 유명한 사람이 하는 말이었다면 당신께서 곧이곧대로 받아들이는 실수를 범했을지도 모르니까요.

99

특별하게 잘 쓴 글보다는 누구나 한 번쯤 떠올릴 수 있는 생각들을 표현한 글이 사람들의 마음에 더 잘 와 닿습니다.

'이제 성인이 되었구나.'

'이제 대학을 졸업했구나.'

'이제 보니 부모님께서 많이 늙으셨구나.'

살아가면 살아갈수록 '실감'이라는 단어를 실감하게 됩니다.

우리는 앞으로 얼마나 더 많은 실감을 실감하게 될까요.

그것만큼은 잘 실감이 나지 않는군요.

우연히 부모님의 증명사진을 발견했습니다. 최근에 찍으신 것 같았는데, 문득 과거의 증명사진과 비교해보았다가 두 분 다 알게 모르게 많이 늙어버리셨음을 깨닫고는 대낮부터 속이 상해서 눈물만 펑펑 흘렸습니다.

평소 표현에 인색한 아들이지만, 오늘은 자식 때문에 다 늙어버린 두 분의 품을 꼭 한번 안아드리고 싶습니다. 아빠! 엄마! 사랑합니다!! 건강하게 오래오래 사셔야 해요!!!

102

어버이날이 하루 잡혀있는 이유는

그 날'만' 효도하라는 의미가 아니라,

그 날 '만이라도' 효도해보라는

나라의 엄중한 충고가 아닐까?

103

고등학교 3학년 때 당시 담임선생님께서

우리 반 학생들에게 들려주신 말씀이 있습니다.

지금은 간암으로 유명을 달리하셨지만,

우리들에게 유언과도 같이 남아있는 그 말씀.

"하나는 열을 위해, 열은 하나를 위해."

104

타인에게 짐을 주는 것이 꼭 나쁜 일만은 아닌 것 같습니다. 다만, 그 짐의 내용물이 좋은 것이고 그 내용물까지 그 사람에게 내어줄 수 있다는 전제하에 말예요.

제 스승님들께선 제게 정말 많은 짐들을 주셨습니다. 하지만 그 안의 내용물들까지 다 제가 가지도록 해주셨습니다.

사람의 마음을 얻는 요소가 결코 학벌·직업·외모·재력 같은 것이 아니라, 누가 얼마나 진심이냐에 따라 사람의 마음이 반응한다는 것을 생을 마감하는 그날까지 믿어보고 싶습니다.

매년 새해에는 인생을 더욱 가치 있게 보낼 수 있을 것 같은 느낌이 듭니다. 많은 분들이 힘과 용기를 주시니까요.

"의미 있는 일을 많이 할 수 있다는 건 좋은 거예요.
나 자신을 긍정적이게 하니까요.

명사들을 찾아 여행을 다닌다고 하셨지요?
그 또한 의미 있는 달란트겠지요.

나도 오늘 덕분에 소녀가 된 것 같으니까요."

― 시인 이해인 수녀님과의 대화 중에서

종종 혹은 자주 '모 아니면 도'를 시도했었습니다. 일부러 그렇게 했던 것은 아니었는데, 그냥 하다 보니 중간이 없이 살았던 것 같습니다. 윷·걸·개와 같이, 또는 남들과 같이 좀 적당할 줄을 알아야 하는데, 그렇지 못하다 보니 늘 시끄러움 속에서 살아야 했습니다.

사실 남들보다 유식하기라도 해서 그들의 방식을 거부하려 했던 게 아니라, 남들보다 못하다 보니 그들이 하는 방식이 내게 더 어려웠을 뿐인데 그런 행동들이 제게 시끄러운 생활을 가져다주었습니다.

그래서인지 선택의 여지는 별로 없었고, 해서 이왕에 하는 것은 꼭 '모'가 나와야 하므로 '도'가 나오지 않게 하기 위해 좋지도 않은 두뇌로 기를 쓰고 머리를 굴리는 고행(?)을 하곤 했습니다.

하지만 요즘은 생각이 좀 달라졌습니다. '모 아니면 도'인 일을 두고 무슨 큰 모험인양 생각할 필요가 없었던 것 같아서요. 윷놀이에서도 모가 다섯 칸을 가서 좋긴 하지만, 도가 나왔더라도 그것이 한 칸도 전진하지 않은 것은 아니었으니까요.

108

여전히 많은 사람들을 만나고 있습니다.
좀 더 나은 인격으로 살고 싶다는 욕망은 끝이 없습니다.

세상은 넓고 사람은 많았고,
그들의 해답도 다양했습니다.

정답은 세상에 하나뿐이라지만,
해답은 각자의 해석에 따라 얼마든지 있습니다.

참 다행스럽고 좋은 세상이지 않은가요.
인생에 정답은 없고, 셀 수 없이 많은 해답들만 존재한다는 게.

인생은 서른한 가지가 넘는 아이스크림보다
더 다양하게 골라 먹는 재미가 있다는 게.

알고 보면 인생을 살아갈 수 있는 방향은
이렇게도 다양하더라는 게.

109

조금 더 나은 내가 되었을 때마다 내가 할 일은
세상과 싸우는 것이 아닌, 세상을 껴안아주는 것입니다.

110

많은 사람들을 만나면서 깨달았습니다. 남에게 보이기 위해 사는
사람과 남을 받아들이기 위해 사는 사람의 삶의 질은 과연 천지차이
더라는 것을요.

111

삶에 용기와 지혜를 주시고 응원해주시는 제 곁의 모든 분들께 감
사합니다. 소중한 인연이 오래도록 변치 않고 이어지길 소망합니다.

112

아, 세상이 보여준 사람들만 보아도
이렇게 아름다운 사람들이 많은데,
세상이 혼자만 보려고 꼭꼭 숨겨놓은 사람들은
과연 얼마나 더 아름다울런지요!

113

대개 '인맥'이란, 뭔가 받을 게 있을 때 만나는 게 아니라, 뭔가 줄 수 있을 때 만나는 거. 아니, 최소한 받고서 돌려줄 수 있을 정도는 될 때 만나는 거. 아니, 아무것도 주고받을 게 없어도 그냥 보고 싶다는 이유만 있다면 만나는 거.

인연이란 그런 거.

깨달음

넘어지고 나서는 상처가 생기게 된 배경과
상처가 클수록 고통도 깊게 퍼지는 느낌을 알았다

사람들을 만나면서 사물이 아닌 사람에게도
아름다운 영감을 얻을 수 있다는 것을 알았다

고통이 지나간 곳마다 무언가가 남아있을 때
부모님의 이마에 주름이 생긴 이유를 알았다

서른 마흔 다섯

엄청나게 쏟아지던 빗줄기의 개수
비 내린 뒤 밤하늘에 뜬 별의 개수
남일대(南逸臺) 앞바다의 모래알 개수

어제 하루 바닷가에 파도가 친 횟수
수 억만년 동안 달이 지고 태양이 뜬 횟수
한 해 세상 사람들이 미소 지었던 횟수와
한 해 세상 사람들이 눈물 흘렸던 횟수

청춘의 시련을 견디는 시간 수
그리움에 몸서리치며 과거를 추억하는 시간 수
태어나서 지금까지 존재해온 시간 수
내 인생 언젠가에 찾아올 봄날의 지속시간 수
또 앞으로 내가 그대와 함께 사랑할 시간 수

시간

돌아오는 것까지는
바라지도 않는데

붙잡아두기라도 가능하다면
그것만으로도 족하겠는데

내 추억에

여운이 남아있다

후회는 없지만 미련은 남아 있으므로

그거라도 없으면

아쉬움도 없겠지만 그리움도 없겠으므로

인연

우연은 필연처럼
필연은 우연처럼

만남은 운명처럼
헤어짐은 찰나처럼

에필로그

썩 유쾌하지 못했던 사색

중학교 2학년 때 눈을 다친 적이 있다. 체육 시간에 운동장에서 친구가 장난으로 던진 돌에 하필이면 눈을 맞는 바람에 눈 속의 수정체가 탈구되어버린 것이다. 수술을 해야 했지만, 당시 그 친구의 집안도 나의 집안도 형편이 어려운 상황이었고, 법적 분쟁조차도 어려운 상황이었기에 수술을 할 수 없었다.

성인이 되어 돈을 벌면 꼭 수술을 하려고 했으나, 대학생 때 받은 학자금 대출을 청산하느라 바빴던 이유도 있었고, 의사선생님 말씀으로는 까다로운 수술이 필요하다고 하셔서 사실 그에 대한 겁도 났고 여러 이유 탓에 지금까지도 수술을 하지 못한 상태이다.

사고 1년 후, 언제부턴가 간질발작이 심해져 나는 또 한 번 병원을 찾았다. 뇌파검사도 했고, MRI(자기공명영상) 검사도 했는데, 엎친 데 덮친 격으로 이번에는 뇌종양이라는 무서운 소식을 만났다.

왼쪽 뇌 해마 주위에 물혹이 생긴 거라고 하는데, 양성이지만 제법 깊은 부분에 났기 때문에 수술했다가 자칫 잘못되면 장애가 올 수도 있다는 이유로 그때부터 항경련제를 복용하고 있다. 병을 판정받은 지 10년이 다 되어가지만, 다행하게도 '하나님이 보우하사' 아직까지는 종양이 자라지 않고 있다.

투병 중인 상황에 관한 이야기를 꺼내기가 조금 조심스럽고 낯설 긴 하지만, 내가 처음 글이라는 걸 접하게 된 배경을 이야기하려다 보니 아무래도 쓰는 것이 자연스러울 것 같았다. 눈을 다치고서 병상에 누워 있던 그때는 그랬다. 깨진 수정체에 영향이 갈 수도 있어 몸을 자주 움직이면 안 된다는 의사선생님의 권고에 따라 어머니의 감시 아래 24시간 중 대부분의 시간을 병원침대에 누워 있어야만 했고, 몸을 움직일 수가 없으니 TV를 보는 것 외에는 따로 할 일이 없었다. 그러나 TV는 평소에도 자주 보지 않는 성격인 데다가 병실도 여러 사람들이 함께 쓰는 곳이라서 원하는 프로그램을 볼 수도 없었다.

그때부터 종잇장에다가 머릿속에 떠오르는 생각들을 요리조리 끼

적거리기 시작했고, 뇌종양 판정을 받은 뒤로는 또 발작이 일어나진 않을까 싶은 마음에 잠에 드는 것이 무서워 일기장에 글을 쓰다가 다 쓰지도 못한 채 잠에 들곤 했던 적들도 빈번했다. 그리고 어느 날, 그런 글들이 한 편의 시가 되는 신기한 경험을 했다. 부끄럽게도 지금 읽으면 도대체 무슨 심정으로 썼으며, 또 내용은 무슨 내용인지도 파악하기 어려운, 작품성이라곤 제로인 글들이긴 했지만 그래도 계속 쓰다 보니 그런 글들이 몇백여 편이 되어 있었다.

여담이지만 시를 쓰는 것은 수업시간에 딴짓을 하는데도 아주 유용(?)했다. 공부를 싫어했던 나는 학교에 등교해서 하교할 때까지 글만 썼고, 학교에서 마무리가 덜 된 글들은 집으로 들고 가서 그곳에서도 글을 다듬어가며 온종일 팔이 아픈 줄도 모르고 그렇게 글만 써나갔다. 아마 그랬던 것 같다. 한 연을 쓰고 나서 한 줄을 띄운 다음, 또 몇 행씩 써서 한 연을 구성하면 수업시간에 시를 쓰고 있어도 선생님 눈에는 그게 필기를 받아 적고 있는 것처럼 보였던 모양인지 그래서 잘 걸리지 않았나 보다.

실제로 시를 쓰다가 선생님께 걸린 적은 중·고등학교 생활을 통틀어도 열 손가락에 꼽을 정도였던 것으로 기억한다. 혹시 어떤 선생님께서는 시를 쓰고 있는 제자를 신선하게 생각하고는 그냥 눈감아 주셨을는지도 모른다. 만약 그 선생님께서 이 글을 읽으신다면 아마 껄

껄 웃고 계실지도 모르겠으나, 하여튼 대신에 나의 그런 짓(?)들은 '바닥을 기는 성적'으로 죗값을 톡톡히 치러야만 했다.

대학생이 되기 전까지만 해도 책을 읽는 것을 무척 따분한 일로 여겼던 나로서는 그때 글을 쓰는 것에 재미를 붙였다는 사실이 지금 생각해도 난센스로 느껴진다. 병을 얻다 보니 자연스럽게 삶과 죽음에 대한 의문들을 가져보게 된 탓이었을지도 모른다. 물론 의문에 대한 답을 찾지는 못했고, 그렇다고 썩 유쾌한 사색들도 아니었지만, 그와 같은 시간이 있었기에 훗날 여행을 떠날 수도 있었으리라.

지금에야 와서 보면 그렇다. 아마도 하나님께선 공부도 운동도 그림도 모든 것에 적극적이지 못했고 아무것도 특출난 게 없었던 그때의 내 모습이 안쓰러워 병을 통하여 나에게도 어떤 괜찮은 것을 주고자 하셨던 것이 아닐까 생각해본다. 물론 당신의 자녀가 교만해지지 않도록 하기 위해서인지 타고날 만큼의 재능을 주셨던 것은 아니지만, 그래도 잘 갈고닦으면 제법 괜찮게 성장할 수 있는 씨앗은 주신 것이라고 여겨진다. 내게 있는 병 역시도 내가 받은 씨앗을 좋은 것에만 쓰도록 하기 위해 십자가로 두신 것이라고, 나는 그렇게 믿고 있다.

아픈 곳이 있다고 해서 나는 내가 환자라고 생각진 않는다. 또한 이런 책을 쓴다고 해서 내가 수행자였던 것도 아니다. 나는 그냥 대한

민국의 지극히 평범하고 일반적인 청년에 불과하다. 어릴 적 수업시간에 땡땡이도 쳐봤고, 담임선생님 과목 시험지에 0점도 맞아 봤고, 게임에 미쳐 밤중에 가족들이 찾으러 다닐 때까지 PC방에 눌러 박혀있기도 했었고, 아르바이트를 하면서도 걸핏하면 휴대폰을 만지작거렸던 적도 있었다. 엘리트인 것도 아니었으며, 거짓말 한 번 한 적 없이 살아온 그런 티 없는 사람은 더더욱 아니었다. 그렇게 나는 누구나 겪는 일들을 겪으며 살아왔고, 누구나 겪어온 실수를 하면서 살아온, 다른 사람과 다를 바 없는 똑같은 사람이다.

이 책을 쓰면서 현재 국가의 부름을 받고 군대에서 국방의 의무를 다하고 있는 사랑하는 내 동생 S의 모습이 많이 생각났다. 동생에게는 형이 쓴 책을 선물하는 것이 왠지 멋쩍어서 직접 선물하지는 못하겠지만, 혹여나 동생이 이 책을 읽게 된다면 언젠가는 동생이 생각하는 청춘의 자화상도 볼 수 있으면 좋겠다는 말을 전하고 싶다. 그림을 정말 못 그리는 형과는 반대로 동생은 그림을 그리는 데 제법 소질이 있으니 (게다가 인물도 나보다 좋다.) 그림으로 나타낼 수 있다면 더 좋을 것 같다. 건강한 모습으로 복무를 마치고 돌아올 수 있기를 기도하고 있다.

소설가이자 언론인이셨던 우보 민태원 선생님의 수필집 『청춘예찬』에는 '청춘, 이는 듣기만 하여도 가슴이 설레는 말이다.'라는 문구로 첫

마디가 시작된다. 이 산문이 나왔을 당시 그분의 춘추를 가늠해보았을 때, 아마도 이미 청춘이 지나버린 어른들께서 느끼는 청춘이란 그러하셨던 것 같다. 내가 만나 뵈었던 어른들께도 청춘이라는 두 글자는 그 뜻 그대로 '푸른 날의 봄'과 같은 설렘의 단어였다.

하지만 막상 청춘들에겐 '청춘, 이는 설렘보다는 불안이 좀 더 앞서는 말이다.' 학점·진로·취직·사랑·인간관계 등 모든 것이 불안함의 대상이며, 하나같이 답이 보이는 것이 없는데다가 고민거리는 점점 더 늘어나 머리까지도 아프게 한다. 이렇다 보니 진짜 청춘들은 청춘이 싫은 정도는 아니더라도, 어른들이 느끼는 그와 같은 감정까지인 것도 아닌 것이다.

어떤 청춘이든 어떤 상황과 어떤 이유에서든지 간에 불안과 두려움을 가지고 있다. 나의 청춘도 마찬가지다. 하지만 그럼에도 분명히 청춘은 귀한 것이고, 해서 참 괜찮은 것이라는 생각으로 이 책을 썼다. 모든 이들이 삶에 용기를 가지셨으면 좋겠다. 자신의 삶을 사랑하는 우리들의 앞길을 세상도 축복해줄 것으로 나는 믿으며 또한 소망한다.

당장 스스로가 공황에 빠져있는 사람이라면 타인 역시도 그 사람을 구해주지는 못하는 것 같다. 감정을 전달하는 학문을 공부하는 예술학도가 이렇게 이야기하면 좀 이상하긴 하지만 요즘 말로 '멘붕 상태'에 놓여있는 사람에게는 누가 무슨 글귀를 써두어도, 또는 무슨 말을 해주어도 아무것도 안 보이고, 아무것도 들리지 않기 때문이다. 모두가 다 그런 것은 아니겠지만 일단 적어도 나는 그랬으며, 또한 나 역시도 그런 타인을 두고는 아무것도 해줄 수 없었던 적이 많았다.

해서 내게는 누군가를 위기에서 구해줄 수 있는 어떤 잠언 같은 글을 쓰고 싶은 욕심까지는 감히 없다. 혹시라도 내가 쓴 어느 글로 인해서 슬픔에 빠진 누군가가 긍정적으로 바뀌었다고 한다면 그것은 참으로 다행한 일이겠으며, 내게도 더없는 기쁨이라 하겠다. 다만 나는 슬픔에 빠진 그 어떤 누군가가 내 글을 읽는 동안에, 그리고 생각하는 동안에라도 아무 생각 없이 그 고통을 잊을 수 있다면, 그 정도의 글만 쓸 수 있다면 충분히도 족할 것 같다. 그게 가능했으면 좋겠고, 그렇게 노력해볼 생각이다. 슬픔에 빠진 사람을 행복하도록 바꿔주지는 못한다 하더라도 더 이상 비관적으로 변질하지 않도록 붙잡아줄 수는 있지 않을까. 허나 그 이상은 대가들이나 가능하겠으며, 또 그 이상은 성인이나 신의 영역일 것으로 생각한다.

그러나 그렇긴 해도 당신의 행복을 위해
나도 한 가지 드릴 수 있는 말은 있을 것 같다.

행복이란, 당신이 행복하기로 마음먹은 그때부터 저 멀리서 내게로 출발하는 거라고.

청춘의 자화상